KB096705

인생의 새벽에 기적이 찾아올 때

인생의 새벽에 기적이 찾아올 때

데이스타

남바다

한송이

스리3

경아

김아림

지우

이지영

안채언

어디에선 가 이 책을 펼친 이름 모를 당신께 편지를 씁니다.

당신은 아마 '새벽'과 '기적'이라는 단어에 몽글몽글한 끌림을

느꼈을 지 몰라요.

혹은 '기적이 찾아오길' 바라던 숨은 마음이 툭 튀어나와

'저거 내 얘기야!' 하며 당신을 이끌었을 지도 모르죠.

어느 쪽이든 상관없습니다.

왜냐하면 이 책을 통해 당신과 우리는 이제 운명적으로

연결되었으니까요.

이 책 속에서 20대의 여성은 비행기 안에서 가슴 설레는

운명적 사랑을 만납니다.

30대의 여성은 세상을 떠난 그를 가슴에 새긴 채

여전히 이별하는 중입니다.

어떤 여성은 삶에 들어온 작은 강아지로 인해

세상의 비겁함에 저항하는 뜻을 세우고,

40대의 여성은 작은 알약 하나로 마음의 우주가

엎치락뒤치락하는 소용돌이를 겪고 있죠.

어떤 여성은 불행 마일리지를 쌓고 또 쌓다.. 결국 행복으로 바뀔

기적의 순간을 기다리며, 또 다른 여성은 지나간 사랑으로 인해

차가운 로맨티스트가 되었습니다.

새벽바다에서 들려온 신기한 목소리를 듣고

인생의 어둠이 환하게 밝혀진 저의 이야기도 있습니다.

당신께서 이 책의 마지막 페이지를 덮을 때면,

이 세계에서 우린 결국 인연'이라는 '기적'으로 연결되어 있음을

느낄 수 있을 거예요.

제가 특히 좋아하는 문장이 있습니다.

'일어날 일은 일어난다.'

한 사람의 인생에서 일어나는 기적 또한

이미 일어나기로 약속된 것이 아닐까요?

그러니 기적이란 단어에 마음이 이끌려 이 책을 펼친 당신께 전합

니다.

당신에게도 언젠가 '일어나기로 이미 약속되어 있는' 기적이

찾아갈 겁니다.

그 기적이 찾아가는 시간이 당신 인생의 '새벽'이길 바랍니다.

- 공동저자 中 남바다

차 례

불행 마일리지

데이스타

데이스타 음악과 여행, 초콜릿을 좋아한다. 마음에 드는 꽃은 사진을 찍어두고 꽃말을 찾아본다. 신문방송학을 전공하여 신문기사 같은 글이 익숙하지만, 깊이 빠져드는 감정과 떠오르는 생각을 짧은 글로 적어내는 것이 취미이다. 어떤것이든 열심히 노력하면 언젠가 좋은 날이 올 것이라는 믿음을 가지고 살고있다.

째깍 째깍 째깍.

사장실에서는 시계 소리만 울리고, 결재판 속 내년 연봉인상안을 확인하는 사장님의 표정은 오차 없이 반복되는 시계 소리만큼이나 변함이 없었다. 검은 머리보다 흰머리가 더 많은 듬성한 머리숱은 스프레이로 정갈하게 고정하고, 빳빳하게 다림질 한 셔츠는 조금도 흐트러짐이 없었다. 집중하듯 살짝 힘주어 다문 입술을 하고는 종이의 위에서 아래로 시선이 옮겨갔다.

제발. 제발. 이번에는 제발.

이번만큼은 승진시켜 주지 않을까, 애꿎은 치맛자락을 꼭 쥐고 사장님의 얼굴을 뚫어져라 쳐다보고 있었다.

"음. 이대로 하세요."

사장님은 결재 서류에 도장을 찍은 후 내게 다시 돌려주었다. 언젠가 전자결제를 도입하자고 건의해 보았지만, 손수 도장을 찍으며 서류 하나하나 책임감을 가지고 검토해야 한다는 명분에는 그 누구도 거부를 표시할 수 없었다.

"네, 알겠습니다. 저는 이제 과장 달아주시는 거죠?"

벌써 3년째 같은 질문이다. 이쯤 되면 과장으로 승진할 것이라는 기대는 매번 결재판과 함께 되돌아왔다. 내 친구들은 각자의 회사에서 이미 과장을 달고도 2년이나 지났다.

"아니, 아직 아니야. 과장되면 본사에서 시키는 일만 많아질 텐데 뭐가 좋다고. 오늘은 저기 골목 안쪽에 와인 있는 파스타집 가볼까?"

사장님은 장난기가 조금 섞인 목소리로 말을 돌렸다. 결재판을 두 손으로 꼭 안고서 시선을 내리자 뾰족하게 각진 책상 모서리가 눈에 들어왔다. 비록 예상했던 결과라 할지라도, 기대가 실망으로 바뀌면 이토록 공허하다. 맙소사, 옛말이라고 생각했던 '만년대리'가 나일 줄이야. 막연하게 생각하던 마음이 결국 튀어나왔다.

"당장은 아니지만, 언젠가 이직하려면 과장이 되어서 하는 게 훨씬 유리하단 말이에요."

"이직하려고?"

"평생 이 회사에만 있을 수는 없잖아요. 사장님도 언젠가는 은퇴하실거고. H사처럼 연봉높고 복지좋은 곳으로 이직하면 좋잖아요?"

정말 이직을 하겠다고 마음을 먹은적은 없었기에 농담처럼 이야기했지만, H사는 늘 나에게 선망의 대상이었다. 많은 고객사들과 업무를 진행하지만, H사는 그 중에서도 가장 소통이 빠르고 시스템이 잘 구축되어 있었다.

일본에 있는 본사가 한국법인을 설립하겠다며 전무이사였던 사장님을 한국으로 파견한 것은 8년 전이었다. 사무실에 놓을 책상을 사는 것부터 시작한 창립멤버라고는 본사에서 파견한 사장님과 한국인 인턴사원 S, 한국에서 입사한 나까지 셋 뿐이었다. 두 살 아래 동생이지만 같은 취향을 가진 이유로 금새 친해진 S는 외국생활이 더 좋다며 다음해에 해외로 이직했다.

S가 퇴사하자 나는 몇 년간 회사 내 유일한 여직원이었다. 다른 직원에 비해 일본어가 서툴렀기에 한국어를 못하는 사장님과 직접 대화하기 위해 짧은 말이라도 노력해야만 했다. 내 노력이 닿았는지, 사장님은 항상 막내딸과 대화하듯 다정한 말투로 이야기하셨다. 어쩌면 나를 챙겨주시면서 시집보낸 딸을 그리워하시는 것일지도 모른다. 이런 사장님이 아니었다면 나도 더 나은 조건의 회사를 찾아 이직하지 않았을까, 막연하게 생각해 본 적이 있었다. 하지만 대리직급으로는 과장직으로 이직하기가 어려웠다. 이 연차에는 기필코 과장이어야만 했다.

사장님이 고른 식당은 사택 근처의 작은 레스토랑이었다. 주문한 와인이 먼저 나오고, 테이블에 놓인 와인잔을 살짝 잡고 두어 번 돌렸다. 코 끝으로 들고가 숨을 깊이 들이마시고는 향을 음미했다.

"와인 괜찮은 것 같아요."

작게 한 모금 마신 사장님은 와인잔을 지그시 바라보며 고개를 살짝 끄덕였다.

사장님과 나는 작년부터 일주일에 두 번 정해진 일과가 있었다. 일명 '퇴근 후 맛집 투어'. 회사 근처 식당 이곳저곳을 다니며 저녁 식사를 함께했다. 회사 생활부터 개인사까지 시시콜콜한 모든 이야기가 오가는 수다의 시간이라고 하는 것이 더 정확한 표현이었다.

"아, 본사에 새로 왔다는 회계담당자와는 잘 해결했어?"

분명 어제 있었던 소란을 신경 쓰고 계신 터였다. 본사의 회계담당자가 바뀌고, 문서들을 다시 만들면서 나와 적잖은 씨름을 해야만 했다.

"본사랑 통화할 때마다 피곤해요. 정말 어휴"

와인 한 모금을 더 마시며 인상을 찌푸렸다. 예상치 못한 일들이 매일 시트콤처럼 일어나는 것이 회사 생활 아니었던가. 쌓여있던 불만들이 입밖으로 튀어나오려 했지만 와인과 함께 삼켜버렸다.

"요즘엔 왜 이렇게 재미가 없는지 모르겠어요."

불만 대신 나온 한숨에 사장님은 내 안색을 가만히 살폈다.

"재미가 없어? 왜, 승진 안 시켜줘서?"

아이를 어르는 듯한 사장님의 농담에 눈을 가늘게 뜨고 슬쩍 노려보며 장난으로 응수했다.

"아이 뭐. 승진도 그렇고요."

괜히 와인잔을 만지작거렸다. 와인잔 속에 담긴 와인이 얕은 파동을 그리며 흔들렸다. 물끄러미 바라보다 문득 수면 위로 불쑥 떠오르는 생각에 모든 것이 제자리에 멈춘 듯했다.

"있잖아."

사장님은 내 표정만 보고도 다 아신다는 듯, 와인을 한 모금 마시고 나지막하게 말을 꺼냈다.

"불행에도 마일리지가 있다는 말, 알아?"

나는 포인트가 쌓이는 모든 것들을 좋아한다. 카드 포인트도, 멤버십 포인트도, 항공 마일리지도. 티끌을 모아 태산까지는 아니더라도 나무에 열린 맛있는 과실이 되어 선물을 받는 소소하고 확실한 행복이 좋다. 모름지기 마일리지란 나의 행동에 대한 보상으로 주어지는 것인데, 불행 마일리지라니. 도무지 그 의미를 이해하기가 어려웠다.

"불행에 마일리지가 있다고요? 불행이 쌓여요?"

"그럼. 차곡차곡 버티며 쌓아놓으면 반드시 언젠가 보상이 온다구."

사장님은 와인을 한모금 마신 후 마음 한켠에 두었던 오래된 이야기를 꺼냈다.

"도쿄보다 오사카보다 아래쪽에, 귤로 유명한 작은 도시가 있어. 거기서도 조금 떨어진 시골마을에서 살았지. 아버지는 시골에서 작은 식당을 하셨고 첫째인 내가 같이 하길 바라셨어. 하지만 나는 시골에서 사는 것도 싫었고, 식당 일도 하고 싶지 않았어. 더욱 열심히 공부했고, 도쿄에 있는 대학을 나와서 종합상사에 취직했지.

그때는 정말 열심히 살았던 것 같아. 영업직이었기 때문에 주말에도 접대를 하느라 쉬는 날도 없었고, 사원에서 대리가 되기까지 10년이나 걸렸지. 일도 힘들었지만 좋아하지도 않는 골프를 치는 것도 너무 싫었어.

그러던 중에 아버지가 돌아가시고, 아버지의 식당은 동생이 물려받기로 했어. 그렇게 잘 운영되는 식당은 아니었지만, 동생이 맡은 뒤로는 빚이 더 커져만 갔지.

동생마저 사고로 떠나고, 그 빚을 해결할 사람은 나밖에 남지 않게 된거야."

처음 듣는 이야기였다. 시코쿠지역 시골 어딘가 이름이 생소했던 도시에 편찮으신 어머님이 계신다는 것만 알고 있었을 뿐, 사장님의 젊은 시절 이야기를 듣는 것은 처음이었다.

"…어떻게 버티셨어요?"

나는 그 긴 세월의 고단함을 가늠할 수도 없었다.

"내게는 가족이 생겼으니까. 부인을 만났고 딸도 태어났고. 불행하다고 포기해버릴 틈 조차 없었지."

사장님에게 사모님은 가장 힘들 때 만난, 맞벌이를 하며 함께 이겨내준 가장 고맙고 소중한 사람이었다.

"이시노우에니모 산넨(石の上にも三年). 차가운 돌 위에 앉았더라고 계속 앉아 있으면 돌이 따뜻해지지. 아무리 괴로운 일이 계속 되어도 시간이 지나면 보답을 받는 거야."

가만히 생각해 보면 언제나 불행만을 생각하고 살았다. 왜 나한테 이런 불행이 오나, 이런 불행이 더 닥쳐오면 어쩌지 라고 생각하며 인생을 탓하고만 있었다.

지난 금요일은 출근길부터 엉망진창이었다. 밤새 내린 눈으로 얼어붙은 길 위를 한 발짝 한 발짝 신중히 내디디며 걷다가 금세 미끄러져 버린 일은 시작에 불과했다. 구름 때문에 어둑해진 탓인지, 사무실은 분명 전등이 다 켜져 있었는데도 그림자가 한 겹 둘러싸인 듯 무거운 분위기가 감돌고 있었다. 아직 난방의 온기가 닿지 않은 내 책상 위에는 차가운 메모지가 놓여있었다. 글씨의 주인은 말도 섞고 싶지 않은 영업 A팀의 M부장. 메모지에 적힌 내용은 더 기막혔다.

　'L사 P현장 사고건, 내용증명. 화요일.'

　시작부터 속에서 불타오르는 금요일이라 불금인가 생각하며 사장실을 노려봤다. 긴급회의는 아직 끝나지 않은 듯했다. L사라면 올해 가장 큰 프로젝트건을 계약한 고객사이기에 이른 아침부터 난리법석인 모양이었다. 사고는 부장이 저지르고 수습은 내 몫이라니, 직급이 낮은 죄로 억울하기 짝이 없다. 그러나 내가 할 수 있는 분풀이라고는 그저 메모지를 한껏 구겨 쓰레기통에 넣어버리는 것이 전부였다.

　눈이 쉼 없이 내린 점심에는, 전날 사둔 쿠키로 대충 끼니를 때웠다. 목이 막힐 듯 퍽퍽한 쿠키를 가까스로 삼켜버리고 잠깐 의자에 기댔다.

　"점심밥은?"

　사장님이 전화통화를 마치고 나오며 물었다. 평소라면 맛있는 메뉴로 점심을 사달라고 했겠지만, 도통 입맛이 없었다.

　"대충 먹었어요. 사장님은 이제 나가세요?"

보통때보다 20분은 늦은듯한 시간이었다.

"응. 후루카와 상이 이번달 중에 한국에 올 스케줄을 잡겠다고. K노무사 미팅이 언제였지?"

"2주 후 목요일이요."

"응. 알겠어."

사장님은 빠른 걸음으로 사무실을 나갔다.

낮은 기압 때문인지 메마른 쿠키 때문인지는 알 수 없지만 마음이 갑갑했다. 친구들은 모두 넓은 세상으로 걸어 나아가는데, 나만 이 작은 사무실에서 제자리걸음을 걷고 있는 듯했다.

같이 일하다 해외로 나간 인턴사원 S의 소식은 더욱 무겁게 나를 눌렀다. 지금까지 몇 번의 이직을 거쳐 회사의 규모도, 연봉도 몇 배나 차이 나는 곳에서 좋은 대우를 받고 있다고 했다. 타국에서의 외로움을 끌어안은 채, 외국인 직장동료들 사이에 녹아들기 어렵다며 전화 너머로 안쓰러운 목소리를 전해오던 동생이었다. 기특하기도, 부럽기도 했다. 아니, 그저 부럽기만 한 것은 아니었다. 나는 지금 여기서 무엇을 하고 있나. 점심시간이 다 가도록 의자에서 일어나지 못했다.

"그럼 저는 그 불행 마일리지가 이미 꽤 쌓였을지도 모르겠네요."

잘 마시고 있던 와인이 씁쓸해지는 것 같았다. 잘못 느낀 것인가 싶어 다시금 와인잔을 들어 올리자, 요 며칠 괜찮았던 오른쪽 어깨가 다시 뻐근했다. 세상 모든 중력의 무게가 내 팔에 얹어진 느낌이랄까. 의

사는 이대로 두었다가는 젊은 나이에도 오십견이 온다고 했었다. 스테로이드 주사까지 맞아가며 염증 치료를 했지만, 이따금 무겁고 뻐근하다. 나도 모르게 살짝 찌푸린 얼굴을 하고는 왼손으로 어깨 위를 연신 눌렀다.

"그럼, 이제 곧 리워드받을 일만 기다리면 되니 얼마나 좋아!"

사장님은 토마토 파스타를 한 젓가락 집어 올리며 나를 달래듯 말했다. '불행 마일리지' 이야기대로라면 나는 불행을 적립하는 단계에 있었다. 사장님의 여유를 알아채기에 아직은 일렀다.

"리워드받는 날이 얼른 오면 좋겠어요. 대체 언제 오나."

습관성 한숨과 함께 투정이 섞여 나왔다. 조급한 마음은 기다림을 원망으로 변하게 만든다.

내게 무언가 말씀을 하려는 찰나, 사장님의 핸드폰이 울렸다.

여느 때처럼 소파에 등을 기댄 채 편하게 전화를 받던 사장님의 표정은 미묘하게 굳어지고 있었다. 가벼운 농담으로 시작한 말들이 점점 짧아지고, 사장님의 시선은 먼곳을 향했다. 무언가 불안한 느낌이 들었다.

"응. 알았어. 올해 말?"

차분해진 사장님의 대화를 들으며 이번 분기 업무계획안을 떠올렸다. 올해 말에 특별한 계획이 없었음은 금세 알 수 있었다.

"사택은? 응. 그렇게 하면 되겠네."

사장님이 이용하시는 사택은 작년에 갱신했다. 통화를 엿들을 생각은 없었지만, 불안은 점점 불길한 느낌으로 변했다.

나는 사장님의 얼굴에서 시선을 떼지 못하고 있다가 통화가 끝나자마자 묻지 않을 수 없었다.

"무슨 일이에요?"

사장님은 그 어느 때 보다도 덤덤하게, 아무 일도 아니라는 듯한 표정을 지었다.

"아, 다음 주 수요일에 후루카와 상이 온대."

본사 부사장인 후루카와 상이 이번달에 한국에 오는 것은 지난주에 이미 들었다. 후루카와 상이 오는데 사장님의 표정이 왜 어두워졌을까 짐작 조차 할 수 없었다.

사장님은 와인을 한 모금 머금고 옅은 미소를 지었다.

"오늘 결정이 났네. 내 정년퇴임."

"네?"

등받이에 기댔던 몸이 앞으로 튀어 나갈 뻔 했다. 심장이 빨리 뛰기 시작했다.

사장님의 연세는 이미 정년퇴임 연령을 훨씬 넘겼다. 언젠가는 퇴임을 하시는 날이 오겠다는 생각은 했었지만, 이렇게 갑작스러운 결정이 될것이라고는 상상도 못했다.

"다음주 K노무사 미팅에 후루카와 상도 함께 갈거야. 노무사에게 미리 전달해줘."

어쩐지 이례적이라고 생각했다. 보통은 노무사도 세무사도 나 혼자 미팅을 해왔다.

"정년퇴임은 언제 하시는데요?"

사장님이 안계실 것이라 생각하니 마음이 초조해지기 시작했다.

"2월 1일. 내가 사장인 것은 이번 회기 말일까지만."

당장 1월이 아니라 2월이라 다행이라고 해야하나. 본사의 회계일 기준을 따른 것이 한달이라는 시간을 더 벌어준 셈이 되었다. 너무나 갑작스러운 상황에 손에 쥔 와인을 마시지도 않고 사장님을 멍하니 보기만 했다.

"괜찮아, 괜찮아. 이제 나도 나이가 많아서 힘드니까 잘된거지. 후루카와 상이 앞으로 잘 할테고."

사장님은 이미 예상하고 있었던 것인지, 별 일 아니라는 표정을 하고 와인을 한모금 마셨다.

"그리고."

잠시 뜸을 들이고는, 사장님의 핸드폰을 내게 내밀었다.

"이게 뭐예요?"

"내년 H사 수시채용에 인사팀 과장직 채용이 있을거야. 한번 지원해봐."

핸드폰에는 메일 한 통이 열려 있었다. 사장님과 H사의 인사팀 부장이 주고받은 메일에는 내년도 수시채용 공고가 있을것이라는 내용이었다.

"아무것도 없을때부터 여기와서 고생 많았던 것 다 알아. 내가 줄 수 있는 리워드는 이것 뿐이지만, 기회를 잡는 것은 본인의 몫이지.

스스로에게 행복이라는 리워드가 오는 날을 기대하면서 열심히 준비해봐."

　하루하루를 살아가다 보면 예상치 못한 일들과 기대했던 대로 되지 않는 일들이 연속되어 일어날 때가 있다. 그러나 모든 불행은 그저 불행으로만 그치지 않는다. 차곡차곡 쌓여가는 불행의 마일리지는 기대를 내려놓고 살아가는 어느 순간에 행복이 되어 돌아왔다. 인생의 불행은 일기예보에도 없던 소나기와 같고, 비 내리는 날이 계속 이어진다고 해도 햇살이 빛나는 어느 날에 마치 무지개처럼 행복이 나타나는 것이었다.

새벽바다의 기적

남바다

남바다 10대에 '지옥도'를 거치며
20대에 Seoul Dream을 접고
30대에 비우포트 섬에 살고 있습니다.
이 글을 읽는 당신의 새벽에도
'기적'이 밀려가길 바랍니다.

인스타그램: https://instagram.com/nambada_writer

1.비우포트(Beaufort island)섬의 기적

〈파도〉

유승우

파도에게 물었습니다.

왜 잠도 안 자고 쉬지도 않고

밤이나 낮이나 하얗게 일어 서느냐고

일어서지 않으면 내 이름이 없습니다.

파도의 대답입니다.

-

나름 짧다면 짧은 34년의 인생을 살아오며 '나'의 정의를 내려보겠다고 파도처럼 일어나며 살아왔다.

하지만 나는 이번엔.. 파도처럼 다시, 또 다시.. 일어설 힘이 없었다.

나는 이 섬에 5년째 발을 붙이고, 3년째 집을 구해 살아가고 있다.

1845년. 처음 이 섬에 왔던 파란눈의 외국인, 영국 해군 함장이 명명한 이 섬의 영어 이름은 'Beaufort island.'

'아름다운 섬' 이다.

그래서 나는 이 섬을 '비우포트'라고 부른다. 나도 이 섬에 오랫동안 표류했다 떠나갈 이방인 같아서.

이곳과 연이 깊어지며 5년째가 되던 해, 개인적으로 목표했던 성공과는 멀어지고 있다는 불안감이 해일처럼 들이쳤다.

일년에 오백만 원을 주고 살고있던 마당이 있는 단독주택 집의 계약기간이 딱 한달 남아있는 시점이었다.

나는.. 이제 그만 이 섬에서 집을 빼야겠다고 생각했다.

이 곳에서 달성하려 했던 목표는 오아시스의 환상처럼 느껴졌다.

나는 이 섬 전체를 배경으로 삼아 한 편의 영화를 완성하려 했다.

시나리오를 썼고 배우들을 모집하여 영화를 찍었다.

-이 섬을 다스렸던 여왕과, 죽어서도 이 섬을 떠나지 못하는 신(神)들의 이야기.

여왕은 자신의 나약함으로 인해 지키지 못한 백성을 죽어서도 지키기 위해서

보이지 않는 결계를 치고 오랜 시간 그들을 끌어안고 먹여주고 지켜주며 버틴다.

긴 세월이 흐른 후 21세기 현대에 와서 남녀주인공으로 인해 저승

사자가 섬에 들어오게 되고,

여왕과 백성신들은 그제야 모두 배를 타고 가야 할 곳으로 돌아가게 된다. - 판타지 드라마.

아마도 항상 외딴 섬 같았던 나의 모습과 삶의 무거운 뭔가를 책임져야 한다는 나의 내면이 그려 낸 세계의 모습일 것이다.

나는 이 영화를 찍는 과정에서 이 섬의 엄청난 관심과 지원을 받았다.

마지막 장면은 신들이 저승사자와 함께 배를 타고 떠나는 장면이었는데

드론으로 멋지게 촬영하느라 여행객 실어 나르기도 바쁜 도항선 측에서 두세번을 회항해주었다.

또한 이미 이곳에 살고 있는 주민들은 그 자체로 절묘하게 연출 된 조연 배우들이었다.

관공서 내부, 가정집 부엌, 붕괴위험으로 출입금지 된 몽돌 해변('톨칸이'라고 불린다)부터

바다에 들어가는 해녀들까지 - 이 섬의 곳곳을 기록하고 담아내게 되었다.

겨울에 칼바람이 불면 가만히 서 있기도 힘든 우두봉(혹은 우도봉) 꼭대기에서

드론이 절벽에 부딪혀 부서질 각오를 한 채 여러 대를 겁도 없이 날렸고,

배우들은 칼바람부는 겨울에 실오라기 같은 의상을 걸친 채 열연을

펼쳤다.

짧았던 반 년간의 촬영이 끝나고 - 나는 이 섬에 마련한 집에서 후반작업을 진행하고

제작비를 벌기 위해 여러가지 사업을 하고 일을 했다.

나는 이곳의 주민들과 더 연결되고자 바닷가에 나가 마을작업에 동참하고, 농사에 관심을 가지고..

이 섬에서 재배되는 작물의 신품종에 관한 홍보에도 동참하고자 육지까지 비행기를 타고 몇 번을 오가기를 반복했다.

그동안 가까워진 주민들은 나의 아버지와 어머니, 삼촌과 이모 역할을 해주었고

나는 그들에게 내 안의 결핍을 해소할 뭔가를 기대하며 끈끈한 유대감을 상상했다.

내가 이 섬의 주민이 되기로 결심하기에 딱히 부자연스러운 선택은 아니었다.

하지만, 영화의 후반작업 예산 때문에 최종 완성이 기약없이 미뤄졌다.

억 - 소리가 나는 예산이 필요한데 능력은 한계가 있고 해야 할 일은 많았기에 불안했다.

하지만 기약없이 결과물의 탄생은 미뤄지고 나는 이곳 사람들의 기대에 미치지 못할까봐 불안했다.

한번은 가망성 없어 보이는 이 작품을 미련없이 포기해버릴 까도 여러 번 생각해보았지만

포기란 것도 쉽게 실행하긴 힘든 것이다.

이 시간동안 쌓아온 것들과 연결된 사람들 모두를 포기하고 나의 일부를 포기하는 일이기 때문이다.

일년쯤 흘렀을까… 이 곳에서 나의 표면적 정체성을 결정하는 일과 삶의 방향을 다시 생각해보는데

꽤 시간이 소요되었다. 나는 한없이 무기력하고 우울해지곤 했다.

1년이 걸리든 10년이 걸리든 뽑은 칼로 바다를 한번 베어보겠다는 각오를 다시 한번 세긴 것은

얼마 되지 않았다.

힘을 빼고 의무와 부담을 내려놓고 그저 흘러가는 대로 쉬어가는 대로 내려놓고 지내다 보니

나는 다른 가능성도 있을 거라 생각하게 되었다.

반드시 극영화가 아니더라도 진짜 살아있는 이곳의 모습, 사람들의 삶을 다큐로 찍어서

이곳의 판타지적 역사이야기와 결합하여 새로운 장르의 영화를 제작할 수도 있는 일이다.

상상할 수 있다면 반드시 존재할 수 있는 일이라는 희망이 마음속에서 솟구쳐 올랐다.

나는 다시 깃대를 올리고 항해를 시작하기로 했다.

그러던 어느 날 - 단기적인 목표와는 다르게, 내 인생의 꿈이 더 이상 '영화감독'이 아니란 것을 깨닫게 되었다.

이 섬과 이곳의 사람들을 돕고, 결과적으로 나를 도울 수 있는 - 새

로운 일을 벌이기로 결심했다.

사실 나는 영화라는 가상의 세계를 창조하고 그 창조자로써 자족하는 삶이 아니라

실제 이 세계에서 아름답고 유용한 뭔가를 창조하고, 그 결과로 성장해 나가며 함께 풍요로워 지는

영화로운 삶을 살길 원한 것이다.

이 깨달음 이후부터 - 예상치 못한 시련이 찾아왔다.

복잡한 이해관계에 직간접적으로 얽히는 일은 여태껏 겪어보지 못한 감정적 충격과 고통으로 다가왔다.

경험과 재주를 살려 이 섬을 홍보할 수 있는 사업을 진행하려 했더니 그 사업에 붙어있는 돈의 무게에

이 사람,저 사람의 훼방이 더 얹혀졌다.

이해관계가 얽히고 오해가 생기니 어제 서로 얼굴을 대하고 웃던 사람들이 돌아서면 표정이 바뀌었다.

나를 대하는 태도는 미묘했고 때론 벽을 두며 계산적이고 표면적이었다.

나는 당신들과 내가 비슷하다는 걸 표출해 보이기 위해, 체질에도 안 맞는 바닷가 공동작업에 참여하고

밭 작업을 도왔다. 하지만 이 모든 노동으로 기대했던 유대감은 순간일 뿐이었고

필요에 의해 서로 친밀함을 내세우는 겉핥기식 관계의 미약한 연결이었다. 그런 듯 했다.

'가족 같음'을 앞세워 식구가 되어보고자 했던 나의 마음은 아무도 알아주지 않는 듯 느껴졌다.

나 하나 떠나도 누구 하나 동요될 일 없을 것이라 느껴져 스스로 결론을 내렸다.

'그래.. 이제 이 집에서 딱 한달만 지내고 떠나자.'

그러나.. 5년을 이 섬에 발붙이고 살면서도 내가 놓친 것이 있었는데, 바로 '바다'였다.

나는 단 한 번도 바다에 들어가지 않았다.

걱정없이 바다에 뛰어들어 즐길 여유가 없었다.

돈도 벌어야 했고 , 이웃들의 집에 놀러가서 친밀함도 쌓아야 했고 , 혼자 걱정과 고민도 해결해야 했고

이 섬의 바깥에서 벌어지는 식구들의 일에도 적극 동참해야 했다.

나는 여유 자작한 일상을 보내는 듯 연출하며 살았지만

가랑비에 옷 젖듯 불안과 외로움에 찌들어가는 마음에는 한 틈새도 바다에 들어갈 여유 따윈 없었던 것이다.

누군가에게 '받아들여 지지 않는 기분'은 겪어보지 않으면 모를 것이다.

또한 사람과 사람 사이에 '절대 허물어지지 않을 것 같은 견고한 장벽'을 자꾸 자꾸 마주할 때의

그 외로움과 배신감은 어떤 문장으로 표현하기 힘들다. 그렇게 5년의 세월을 버텨왔다.

매일 도항선을 타고 바다 위를 건너며 끊임없이 묻고 또 물었다.

내가 이 곳에 있어야 하는 이유. 내가 이 곳에서 일하고자 하는 이유.

포기하고 떠나지 않으려 하는 이유. 이 곳에 대한 진심. 그들에 대한 나의 진심. 그리고… 뭐 먹고 살지?

스스로 저 바다를 감옥의 창살로 삼았다.

그때의 내 모습은 .. 애써 부지런히 순하게 웃는 얼굴을 보이며 모범수용자가 되고 싶어하는 무기징역수였다.

그때부터 글을 썼는데.. 그 이유는 그나마 마음을 정리하고 희망을 기대하는 유일한 통로였기 때문이다.

그렇게 많은 것을 내려놓고 그저 자연스럽게 만나지고 어울려지는 사람들과 한량같이 하루하루를 지내며

구름처럼 살아보려 애쓰던 짧은 시기 .. 여기서 작품활동을 하던 어떤 작가가 내게 손을 내밀었다.

그 작가는 이 섬에 와서 글을 쓰는 통통한 몸매의 서글서글한 성격의 시인이었는데

매일 밤, 달밤의 도둑처럼 입고 있던 까만 옷 그대로 풍덩거리며 바다에 뛰어 들었다.

그녀는 바다에 누워 하늘의 달빛을 만끽하는 한량의 삶에서 피어오르는 영감을 잡는 듯 보였고

바닷가에서 함께 맥주를 마시던 어느 날 나를 이끌었다.

"우리.. 바다 들어갑시다!"

8월의 여름. 밤 11시 11분.

나도 홀린 듯 모래 위를 사박사박 걸으며 천천히 밤바다로 들어
갔다.

발 아래 부드러운 모래들이 내 발을 휘어 감았다.

뜨거운 여름의 열기를 끌어안은 바다는 적당히 시원하고 미지근
했다.

온 몸에 힘을 빼고 바다에 두둥실 떠오른다.

머리를 뒤로 젖히고 귀가 물에 다 잠겨야 한다.

그래야 비로소 온 몸이 바다에 둥둥 떠올라 포근한 이부자리에 널
부러진 듯 누울 수 있다.

눈 앞에 밤하늘이 펼쳐지고 손에 잡힐 듯 말 듯 은은한 별빛들이 밤
하늘에 흩뿌려져 있다.

가슴에 아지랑이가 피어 오르는지 몽글몽글하고, 어두우면서도 밝
은 기분. 기분 좋은 불안정함.

'이대로 새벽이 올 때까지, 아침이 올 때까지 있어야지.'

시원한 바닷물이 마음 속 세포까지 적셔주는 느낌. 그 푸른 품 속에
울렁거리며 안겨보았다.

그 찰나의 순간 - 내 우주의 모든 것이 격변하기 시작했다.

내 몸을 끌어안고 일렁이던 파도에서 어떤 목소리가 들렸다.

"나랑 같이 있자."

'뭐라고?'

나는 순간 놀라서 모랫바닥으로 다리를 내렸다.

어둡고 고요한 바다 위는 조용하다.

분명 무슨 소리가 들렸는데 ..

그게 파도의 소리였는지 바다의 메아리였는지 설마 사람의 말소리
인지 분간이 안갔다.

'아니 이 바다에 혹시 도깨비라도 살았나? 내가 너무 우울해 져서
환청이라도 들었나?'

다시 귀를 쫑긋 세워 바다에서 들리는 소리에 집중해보지만, 조용
하게 출렁이는 파도소리와

고요만이 흐를 뿐이었다.

'방금 들은 목소리 뭐지?'

심장이 두근거렸다.

함께 바다에 들어온 작가는 멀직이 떨어져서 조용히 개구리 수영을 즐기고 있었다.

두근거리는 마음. 파도가 내게 말을 했다는 기분을 지울 수 없었다.

이게 무슨 마법 같은 일이란 말인 가!

집으로 돌아와 뜨거운 물에 샤워를 하고 온 몸에 묻은 바다 모래와 소금기를 씻어냈다.

한동안 불면증에 시달렸으나 그 날은 오랜만에 깊은 숙면에 들 수 있었다.

- 다음 날 해가 쨍쨍한 아침. 어제 밤이 마치 꿈결인가 싶었다.

마당에는 빨랫줄에 대충 걸쳐 놓은 옷에서 물방울이 뚝뚝 떨어지고 있었다.

나는 다시 바닷가로 뛰어나갔다.

흰구름이 포슬포슬한 하늘 아래 - 어젯밤 말을 걸었던 바다가 어느새 낯빛을 투명하게 바꾼 채

햇살아래 반짝이고 있기에 이번엔 내가 말을 걸었다.

"바다야. 네가 말한 거 맞지? 나 … 새벽에 다시 올 게!"

그렇게 새벽바다의 기적이 시작되었다.

8월의 여름. 새벽 05:40. 코랄빛 일출의 시작.

"정말 원하는 게 뭐 야?

어떤 시련이 함께 온다해도 그 끝에 네가 정말 원하는 거 말이야."

8월의 태양아래 조금 친근해진 새벽바다의 목소리가 다시 내게 물었다.

'내가 정말 원하는 거? 사랑. 사람. 마음... 그리고 모든 것.

그래.. 사실 난.. 모든 것을 원해.'

2.사랑의 기적

나는 타인의 마음에 대한 독점욕이 많다.

몇 달간 지켜보고 기다린 사람이 있었다.

하지만, 수시로 이 마음을 접고 포기하려 부단히 애를 쓰게 했던 사람이기도 했다.

그의 인생에 가장 중요한 자리를 차지했던 존재가 이미 과거에 새겨져 있다.

어떻게 발버둥을 쳐도 나는 그 중요한 자리와 무게를 차지하진 못한다. 시간 상으로 너무 늦었다.

내가 타인의 마음에 독점욕이 많다는 것은 이때 절절하게 느꼈다.

지독한 공허함이 바닥을 드러내면 그제야 내가 무엇을 그토록 채우고자 했는지 보인다.

나는 남들에게 무관심하며 불친절 하려하지만 극소수 내 마음에 들어온 사람들은 나의 일부로 여긴다.

그래서 무관심한 타인에겐 천원의 관용조차, 한 마디 친절조차 베풀지 않으려 하지만

극소수의 애정하는 존재가 어느 날 위험 앞에 놓인다면 나는 내 육신과 영혼이라도 1초의 망설임 없이 내어 놓을 수 있다.

그는 많은 것에 달관하고 살아가는듯 보였기에 내가 놓아버린다면 미련없이 멀어질 관계로 보였다.

1년이 지나는 시간동안.. 서로 잠시 닿았다 사라지곤 했던 시선의 끝에 생긴 호감.

손톱달 만큼 아련했던 호감을 티 내지 않고 꾹꾹 눌러버리려 하니 더 쌓이고 쌓여갔다.

어느 덧 그를 바라보는 마음이 보름달처럼 커져 내 마음마저 휘영청 밝히고 있었다.

나는 긴 기다림 끝에 결심했다.

얼굴을 마주하고 얘기할 자신이 없어 전화기를 붙잡고는 어설프고 유치한 짧은 투정을 부리듯

고백을 던져 버렸다. 그리고.. 흔하고 고통스러운 이별을 겪었다.

'누군가에게 받아들여지지 않는 고통'과 그동안의 감정을 소모했다는 억울함이 쓰리게 밀려왔다.

나는 새벽바다에서 그를 완전히 흘려 보내고 싶었다.

"정말 원하는 게 뭐 야? 어떤 시련이 온다 해도 그 끝에 네가 정말

원하는 거 말이야."

그 날 새벽바다의 질문 이 후 - 나는 더 이상 그를 기다리며 집착하지 않기로 했다.

마음의 창문을 닫고, 나를 방치하는 것만 같은 차가운 그에게 더 이상 시선을 두지 않기로 했다.

그런데.. 그를 깨끗이 잊기 위해 며칠을 연속으로 들어간 새벽바다가 내 우주를 뒤바꿔 놓는 게 아닌가.

그의 존재가 내 옆에 부재한다 해도.. 참 묘하게도 그를 사랑할 수 있을 것 같은 마음이 차 올랐던 것이다.

'정말? 이게 가능한 마음이야?.'

내 마음이 수 차례 의문을 던졌지만 새벽바다에 흰 거품으로 빨래가 되어 지듯

그 숱한 의문과 두려움마저 점점 깨끗해지더니 어느새 내 마음은 잔잔한 물결처럼 평화를 찾았다.

아무렇지 않았다. 놀라울 정도로.

두둥실 내 몸을 감싸고 띄우는 파도를 타면 모든것이 허용되고 이해되는 기분.

나는 그를 포기한 후 에야 사랑할 수 있었다.

'기적이야.. 정말..'

받으려 하는 사랑에 대한, 무언가로 채워짐에 대한 갈망이 없어진 고요함. 이것이 기적이라 믿었다.

절대 놓을 수 없을 것 같았던 이 마음을 내려놓고 홀홀 날아가듯 가

벼워졌다.

그가 나와 이어지지 않는다 해도 존재만으로 사랑할 수 있을 것 같은 마음의 힘.

그렇게 조용히 물결 같은 날들이 흘렀다.

일주일쯤 지나니 내 인생의 어느 날엔 가 '그'만큼 좋은 사람이 나타나겠지..하는 위로를 하게 되었고

보름쯤 지나던 날에는 내 영혼마저 시원하고 포근한 바다위에 둥둥 떠 있었다.

그렇게 시간이 더 흐른 뒤 - 기다리지 않던 그에게 연락이 왔다.

아무렇지 않은 듯. 아무 일도 없었던 듯.

그 후의 이야기는 나와, 그와, 새벽바다만이 알고있다.

나는 모든 억울함과 계산과 지레짐작과 한 사람을 쓰레기로 만드는 못난 오류는 범하지 않기로 했다.

사랑은 그 자체로 기적이다.

사람도 그 자체로 기적이다.

〈 다행히도 가지 않은 길 〉

13살이던 어린 나의 꿈은 -

'세상의 나쁜 놈들을 다 처단할 수 있는 강력한 힘이 있는 존재' 가

되는 것이었다.

내가 어렸던 90년대는 한창 거품같은 경제성장으로 나름의 풍요를 누렸던 시대.

문화의 르네상스 같았지만 예상외의 비극을 겪으며 크게 아팠던 시대.

13살까지 짧았던 생의 초기단계에 나는 자주 정신적 타격을 받았다.

아버지는 술과의 대결에서 늘 패배자를 자청했다.

한 잔 두 잔, 그 술잔에 함께 출렁거린 인생의 열등감과 분노는 집에 와서 표출되었다.

깨져 나가는 그릇과 물건과 함께 13살의 아이도 함께 조각조각 깨져 나갔다.

14살이 되고 부모님은 별거에 들어갔다. 아이러니하게도 그 때부터

내 인생의 가장 큰 두려움은 끝나고 마음에 숨구멍이 트였다는 게 어찌 보면 참 슬픈 전개였다.

하지만 13년간 그려진 마음의 지옥도는 어느 한 켠에 봉인되었던 것 같다.

13살 까지의 나는 학교에서 장래희망을 써내는 시간에 '판사' 라고 적었다.

하지만 나는 타인의 불행에까지 개입하고 책임지며 살 수 없는 아이였다.

타인의 불행까지 나누며 감당하기엔 감정의 그릇이 단단하지 못한 것 같았다.

그 후 사춘기의 오랜 터널을 지나던 2002년. 12월.

코 끝이 쌀쌀했던 겨울 밤.

우리집의 작은 TV속에선 명작 영화가 방영되고 있었다.

거실 유리창 너머엔 진눈깨비가 흩날렸고 밤 12시쯤 시작된 영화는 새벽 3시가 다되어 끝났다.

집에 홀로 있었던 그 겨울 밤. 그 영화는 내 '꿈'을 송두리째 재탄생 시켰다.

작은 TV에서 흘러나오는 영화의 O.S.T가 마치 향기처럼 집안을 채웠다.

그날 밤, 나는 심장이 두근거려 잠에 들지 못했다 – '타이타닉' 이었다.

가라앉는 배와 함께 바닷속에 봉인된 둘의 사랑. 이뤄지지 않는 사랑.

그날 새벽, '배'를 타는 건 위험한 일이야. 바다는 거대하고 두려운 곳이니까' 라는 문장과,

'이뤄지지 않는 사랑은 하지 않을 꺼야' 라는 문장을 무의식의 일기에 써 넣었다.

하지만.. 내가 거부했던 것들은 모두 나에게 끌려 들어왔다.

그리고 13살까지 장래희망을 '판사'라고 했던 이유가 무엇인지 스스로 이해하게 되었다.

사실은 가장 가까운 곳에서 벌어지던 공포의 근원.

애석하게도 아버지라는 대상을 악의 축으로 삼은 채 그를 벌하고 싶었던 어린 마음의 간절한 절규였다.

14살의 겨울. 12월의 새벽. 내 꿈은 '영화'가 되었다.

'영화 감독이 될 꺼야. 누군가의 꿈을 바꾸고 이 세계에 영원히 새겨질 이야기를 만들 꺼야.'

이로부터 20년 후 -

2023년의 나는 이 섬에 살며 수시로 배를 탄다.

그리고 매일 기적이 일어나는 새벽바다에 들어간다.

평범한 맥락대로 이뤄지기는 힘들어 보이는 사랑까지 시작해버렸다.

5년 후가 될지 10년 후가 될지 모르지만 혹시 내가 이 섬을 떠나는 날이 온다면?

그때 나는 '영원히 서로 사랑하며 행복하게 살았습니다'로 이 엔딩을 쓸 수 있을까?

'이 사랑은 이뤄지기 힘들겠지' 라는 어둠에 갇혀 무거운 몸을 이끌고 새벽바다에 들어갔던 날.

그럼에도 불구하고, 모든 것을 있는 그대로 바라보며 그 존재만으로 사랑하기로 선택한 순간.

새벽바다는 내게 투명한 파도의 물결로 말을 했다.

"네가 꿈꾸는 불행은 가짜야. 마음에 그려진 지옥도를 끄집어내.

가짜 꿈에서 깨어나! 진짜 꿈을 찾아."

나는 당장 이 섬을 떠날 생각은 하지 않기로 했다.

이제 바다는 내게 거대한 두려움이 아니었고, 이 사랑은 이루어지기 힘든 사랑이 아니다.

새벽바다의 거대한 빨래가 끝나고 해변으로 나오니 시원하고 날아갈 듯한 기분이었다.

바다에서 불어오는 바람이 칵테일 속 얼음처럼 나를 간지럽히던 - 바로 이 시점.

사랑의 기적이 시작된 동시에 내 마음 깊은 곳 어딘 가에 13살부터 봉인되었던 '지옥도'가

서서히 모습을 드러냈다.

3. 지옥도(1,2)

〈 지옥도1. 어린 시절의 냄새들〉

어릴 적 나는 지방의 흔한 아파트에 살았다.

그 아파트 입구 양쪽에는 작은 화단이 꾸며져 있었는데

내가 가장 좋아했던 '금목서' 나무가 한 그루 심어져 있었다.

가을이 되면 금목서 나무에 작고 올망졸망한 노랑 금빛의 꽃들이 만개했고

그 꽃에선 마치 하늘나라 어딘가 선녀의 옷자락에서 날 듯한 향기로운 과일과 구름의 향기가 났다.

10살의 나는 학교가 끝나면 집에 들러 가방을 던져두고 다시 밖으로 뛰쳐나간다.

선선한 가을바람과 함께 풍기는 꽃향기를 맡는 것은 긴 하루에 한 줄기 즐거움이었다.

아버지는 주로 술과 함께 새벽 귀가를 했고 나이차이가 많았던 오빠와 언니는 야간자율학습이 끝나고

자정이 되어서야 집에 왔다.

나는 온종일 TV에서 나오는 투니버스 채널의 만화들을 정주행 하거나

대형 오디오에 카세트 테이프를 틀고 동요나 가요음악을 감상하며 숙제를 하곤 했다.

그러다 가을 저녁에는 항상 그 꽃향기를 맡으러 내려가는 것이다.

엄마의 외출이 늦어져 저녁까지 집에 아무도 없는 날이면 해가 떨어질 때까지 꽃향기를 맡는다.

아파트 화단 바로 뒤엔 1층 집의 부엌 창문이 열려 있었다.

그 집의 가족은 항상 일정한 시간에 된장찌개를 끓이고 생선을 굽고 밥을 짓는 냄새가 풍긴다.

잘 들리진 않지만 그 창문 안에선 그날 학교를 다녀온 이야기를 늘어놓은 어린 목소리가 재잘거린다.

그 집의 아버지가 들어와 이런저런 실없는 농담을 하고 어머니의 살가운 잔소리가 새어 나왔다.

그 집의 밥냄새와 금목서의 꽃향기가 아련하게 뒤섞여서 코를 간지

럽히면

10살의 아이는 가슴 속에 몽글몽글한 감정이 뒤섞여 혼자 아련해 졌다.

아마 그 아련함의 밑바탕엔 짙은 부러움이 안개처럼 피어 올랐을 것이다.

노을이 지고 어둠이 내려앉으면 싸늘한 바람에 양팔을 쓰다듬으며 엘리베이터를 타고 집으로 올라온다.

오늘 밤도 부디 오빠와 언니가 학교에서 일찍 돌아오길 기다린다.

엄마가 늦은 저녁을 챙기러 부랴부랴 집에 도착한다. 시계는 저녁 8시가 넘어가고..

가슴은 두근거리기 시작한다. 늦은 저녁을 먹고, 씻고 학교에서 내 준 숙제를 하고 그림일기를 쓰고 나면

기다리고 싶지 않은 아버지를 불가항력적으로 기다린다.

아버지가 들어오기 전에 오빠나 언니가 도착해야 한다. 그러지 않 으면 엄마가 위험하다.

엄마가 빨리 이웃집 어딘 가에 피신하기를 원하지만 엄마는 그러지 않는다.

시계가 느려지고 심장은 빨라진다.

부디 오늘 밤은 무사히 넘어가길 - 하늘에 계신 알 수 없는 신과 부 처님과 하나님과 조상님과 모든 이름모를 신들에게 빌고 또 빈다.

'오늘 밤이 무사히 지나가게 해주세요. 아빠가 깊은 잠에 빠지게 해 주세요.. 그 잠에서 깨지 않게 해주세요.'

수많은 신들의 바짓가랑이를 붙잡던 그 기도가 이어지던 나날들이었다.

그러다 11살이 되던 해부터 나의 기도는 바뀌었다.

'아빠가 집에 오지 않게 해주세요. 잠에 들어 영원히 깨지 않게 해주세요.'

간절하면 주변에 듣던 도깨비라도 도와준다 던데 … 11살 소녀의 간절함이 좀 위험하다는 판단이 들었을까.

좀 충격적인 방식으로 내 소원은 이뤄지긴 했다.

14살이 되던 해. 1월 1일.

거실에 자리잡고 집안의 모든 사건을 목격해 왔을 옥색 화분이 아빠의 손을 거쳐 엄마의 머리에 던져졌다.

와장창. 엄마가 애지중지하던 하얀 난 꽃이 미약하게 바닥에서 스러졌다.

지탱하던 땅이 갈라지듯 모든 것이 깨지고 뒤바뀌는 순간이었다.

엄마의 머리에선 피가 흘렀고 뉴스에서나 보던 119구급대 아저씨들을 우리집 현관에서 마주할 수 있었다.

누군가의 불행에 감히 끼어들지 않았고 신고조차 무의미했던 시대.

가족이 뭘까. 인연이 뭘까.

정답을 알 수 없는 의문과 원망이 마음속에 해석 불가능한 추상화를 그려냈다.

그 밤이 지나고.. 그렇게 부모님의 인연은 끝이 났다.

내가 아닌 엄마의 상처와 피를 통해 굳어가던 삶의 땅이 거세게 갈라진 날이었다.

아이러니하게도 나는 그 후로 어떤 신에게도 소원을 빌지 않게 되었다.

매일 밤 내 마음속에 그려졌던 지옥도는 14살이 시작되던 해 – 마음 깊숙한 곳 어딘가에 봉인되었고

이후로는 매일 어두운 밤이 찾아와도 불안에 떨지 않았다.

'인생의 격변을 겪으려면 누군가의 살이 찢어지는 고통이 필요한가봐.'

나는 14살에 삶의 무거운 이치를 하나 깨달은 것일까.

〈 지옥도 2. 서울드림(Seoul Dream) 〉

2009년.

나는 다니던 대학교를 그만두고 원하던 더 좋은 대학에 가고 싶었다.

새 입시준비를 명분삼아 1년 휴학계를 내고 지방에 내려가지 않고 서울에 남았다.

이유는 오직 'Seoul Dream !' – 내 인생은 무조건 서울이어야 했다.

기숙사도 기한이 끝났고 집도 없는데 어디서 살 거냐는 엄마의 걱정을 애써 잠재운다.

그리고 큰 캐리어에 최소한의 옷가지와 짐을 우겨 넣는다.

강북으로, 분당으로.. 여기저기 자취하는 동기들에게 연락을 한다.

분당의 오피스텔..강북의 원룸.. 대학동기가 살고 있는 분당 오피스텔에 들어갔더니

아는 얼굴이 한 명 더 있는데.. 바로 윗 학번의 여자 선배였다.

'같이 살기로 한 사람이 나 뿐만이 아니었구나..'

어색한 여자 셋의 동거. 그 오피스텔에서 한 일주일쯤 버텼다.

같이 밥을 먹고 수다를 떨고 가끔 조용히 할 일을 하다가 각자 바쁜 듯 나가고 다시 들어와

하루의 안부를 스치듯 나누고 불편하게 잠을 청한다.

그렇게 열흘 후 – 동기에게 '다른 살 곳을 구했다'는 거짓말을 한 채 작별을 고했다.

동기는 아마 내 거짓말을 눈치챘을 수도 있다.하지만 그저 묵인해 주었던 게 아닐까.

두번째로 갔던 곳은 강북의 원룸이었다. 이제 고등학교 동창이다.

전화를 걸기까지 참 오래도 고민을 했다. 무거운 손가락.. 떨어지지 않는 입.

하지만 역시나 착한 내 친구는 와도 된다고 웃으며 받아주었다.

분당에서 강북으로 복잡한 지하도에서 터지기 직전의 캐리어를 끌고

높고 많은 잿빛 계단을 올라가고 내려가고, 다시 서울의 길목을 걷고 또 걷고

두시간쯤 걸려 강북에 도착해 원룸을 찾느라 또 한참을 헤맨다.

겨우 집을 찾아 초인종을 누르니 2년만에 보는 고등학교 동창이 문을 열고 나온다.

방을 구할 때까지 편하게 지내라 하지만 찰나의 안심 이후 청천벽력 같은 말이 들려왔다.

"아 그런데 있잖아… 가끔씩 남자친구가 놀러 오거든.."

나는 애써 활기차게 웃으며 괜찮다고 너스레를 떤다.

"아, 당연히 괜찮지! 나 거의 하루 종일 도서관가서 시험공부하고 .. 주말엔 알바하니까 …

와서 잠만 잘 거야~ 남자친구 오는 날 문자 보내주면 알아서 시간 보고 들어올 게 ~ ^^."

그리고 나의 본능은 짐작 한다.

'…여기도 오래 머물진 못할거야..'

가끔 온다던 친구의 남자친구는 생각보다 자주 그 집에 찾아왔다.

나는 그럴 때마다 새벽이 지나 겨우 들어가거나 혹은 멀리 있는 찜질방에 가서 신나게 혼자 놀기 내공을 키우고 다음 날 아침에 들어갔다.

그러던 어느 날 친구가 가족들과 짧은 해외여행을 갔을 때 그 남자친구가 찾아왔다.

여자친구의 해외여행 일정을 모르지 않았을 텐데 의아했으나 구지 들어와 짐을 챙기고 간다 기에 그러시라고 대답을 하고는 틀어 놓았던 핸드폰의 음악 소리를 더 키웠다.

그 남자친구는 서랍에서 티셔츠를 한 개 챙기더니 음료를 하나 마시겠다며 냉장고를 열었다 닫았다.. 그러고는 음료수가 아닌 친구가 쟁여 놓은 맥주를 꺼내며 같이 한 캔 마시자고 침대에 털썩 앉아버린다.

나는 급히 알바 가려던 길이라 말을 하고 가방에 짐을 챙겼다.

그리고 현관문을 나서면서 내일부터 지낼 곳을 얻었으니 이따 이삿짐 싸는 거 도와줄 학교 선배들이

올 거라는.. 맥락이 안 맞는 말을 늘어놓고 튀어나간다.

이삿짐 싸는 것을 도와 줄 선배들은 없었다. 물론 알바도 없는 날이었다.

'쓰레기 같은 놈..' 나는 속으로 몇 번을 욕을 해댄다.

몇 달 후에 친구는 남자친구와 헤어졌다고 했다.

그 후 나는 다시 캐리어를 끌고 잿빛 서울의 지하도를 누비고 다녔다.

땅 속의 미로 같던 그 지하도. 탁한 누런 빛 조명 앞에 아른거리던 먼지들.

흔들거리는 지하철 안에서 한결같이 무표정으로 회색 빛 삶을 버티는 듯 보였던 사람들.

가끔 그때의 얼굴들은 잊어버렸지만 그때의 색깔과 탁한 공기의 냄새는 떠오른다.

참 많이도 헤매고 다녔던 그 지하철.. 아니, 지옥철.

이 섬에 살지만 서울의 식구들을 만나고 모임을 하러 자주 비행기를 타고 지하철을 탄다.

그로부터 15년이 지난 시간.. 서울은 변했고 나 또한 변했다. 하지만 지하도는 여전하다.

'나의 잿빛 먼지가 쌓였던.. 지옥철.. 그때 그곳을 지나친 사람들.. 다들 어떤 삶을 살고 있나요?

내가 비우포트섬에서 글을 쓰는 지금.. 당신들은 여전히 서울에 존재하고 있나요?'

'서울'은 모든 것이 집약되어 있는 나의 꿈 이자, 미래 청사진의 도시였다.

나는 놓지 않았다. 지옥철을 헤매고 다녀도 나는 서울드림을 놓을 수 없었다.

그때 희망의 동아줄이 던져졌으니 – 사촌동생이 재수를 했고, 노력 끝에 인서울에 성공했다는 소식.

그러니 함께 살 자취방을 얻어줄 테니 같이 살라는 집안의 통보.

'살았다..!'

사촌동생과 함께 세종대 앞에 방을 구하고 살면서 아르바이트를 하고 학원을 다니고 공부를 했다.

2010년. 나는 그 해부터 자유로웠고 즐거웠고 새로운 식구들을 만났다.

현재까지 피가 섞인 혈육지간보다 더 서로의 모든 것을 알고 많은 희로애락을 함께 나누는

'식구들'을 그때 만났다.

홀로 헤매던 망망대해 위에서 하얗고 튼튼한 등대가 내 인생을 훤

히 밝혀 주었다.

그때부터 진짜 내 모습을 조금씩 알 수 있었다.

사람은 본능적으로 자신의 내면에 있는 비극과 닮은 것에 끌린다고 한다.

13년간 마음 속에 봉인해 두었던 어린시절의 지옥도 때문이었을까.

나는 34년을 걸어오며 너무 자주 .. 솔직함과 행복 대신, 숨김과 불행을 선택하는 오류를 범했던 것 같다.

스스로 나를 외면하며 견고한 방어막을 치고 살아왔으니 그 어떤 타인에게도 벽을 허물기는 불가능했다.

어설픈 어른 흉내를 내며 살았던 20대의 나는 사람을 편협 되게 평가하며 기준에 안 맞으면 싫어하거나 무시했다.

윗 사람들에게 싸가지가 없다는 소리를 수시로 들었고 누구에게도 솔직하게 마음을 터놓지 못했다.

온통 날 선 시비와 알 수 없는 원망과 나태함과 오만함으로 가득 차 모든 것을 취사선택하고 저울질했다.

이런 나는 느린 속도였지만 천천히 바뀌어 왔다.

나는 지혜롭고 다정하고 재주가 있어 쓸모가 많고 마음이 깊고 넓고 유쾌해서 사람들이 좋아하는 사람.

그런 사람이 되고 싶어 졌다.

내 모습은 10년이 넘는 시간동안 천천히 변해왔다.

여전히 가끔은 날이 서있고 까다롭고 누군가를 미워하거나 배척하

고 계산하며.. 두려움에 떨지만

분명히 나는 내가 꿈꾸던 내가 되어왔다.

나는 그 지옥도를 봉인해체하고 어두웠던 터널을 지나온 지금의 내가 정말 좋다.

4. 새벽바다의 기적

2018년. 나는 비우포트 섬에 들어왔다.

어느 날 꿈에 초록빛의 봉우리 위를 걷고 있었다.

제주에 360개가 있다는 오름 중의 하나인지.. 작은 산인지 언덕인지

바다가 광활하게 내려다보이는 그 초록빛 봉우리에 서 있는데 그 꼭대기에 작은 가게도 하나 있었다.

꿈 속에서 그 초록빛과 바다의 물결에 들떠 봉우리를 걷다가 그 작은 가게에 갔더니

맛있는 아이스크림을 주는 것이 아닌가?

나는 그 시원하고 달달하고 고소한 것을 홀짝홀짝 먹으며 꿈에서 깨어났다.

'우와.. 여기 어디지?'

본능적으로 내가 발을 딛고 있는 제주도 어딘가 임을 확신했다. 어디일까.

나는 가장 쉽게 인터넷을 마구 검색해보았다. 오름, 산, 봉우리…
언덕..들판..

그리고 찾았다.   그것도 아주 금방.   마치 기다리고 있었다는 듯이!

그 장소의 사진을 몇 장 더 찾아보고 더욱 확신이 들었다.

바로 이 곳. 비우포트 섬이었다.

나는 직행버스를 타고 섬을 향해 출발했다.

항구에 도착해서 매표소에서 표를 사니 바로 배를 탈 수 있었다.

15분…20분의 시간동안 배가 바다 물살을 가르며 달려가는 소리를
듣는다.

오전 11시가 되기 전 도착했다. 나는 멀뚱히 내려서 섬 가운데로 걸
어 들어 가는데..

예상과는 다르게 꿈에 보인 그 초록빛 언덕은 어디 있는지 찾기가
힘들었다.

눈 앞에 보이는 오르막길을 따라 마을 안 길로 천천히 접어들었다.

초록색 밭과 투박하고 정겨운 돌담, 새싹이 몽글몽글 올라온 땅콩
밭의 풍경이 눈에 들어왔다.

이유도 모른 채 그저 꿈에 이끌려 찾아온 곳이었다.

'나는 왜 여기 왔을까..?'

한참을 걷다 보니 평평한 마을길이 펼쳐졌고, 그 끝에 어떤 주민 한
사람을 만나게 되었는데

그 분은 다짜고짜 이 섬을 알고 싶다는 외부인에게 꽤나 친절을 베
풀어주었다.

그 날 이 섬에서 10년 가까이 공무원으로 근무했던 분의 집에서 밥을 얻어 먹었고

해녀들 중 대장부라는 분을 만나게 되었고, 그 분 남편의 오토바이에 얹혀 동네를 구경하고,

마지막에는 이 섬에 엄청난 애착을 가진 대장 같은 분까지 만나게 되었다.

그렇게 나는 이 섬에서 '영화'의 꿈을 펼쳐 보기로 결정을 내렸다.

어떤 연고도 없는 이 섬에 수시로 찾아왔다.

마을의 터줏대감들을 만나고 농부의 집에서 밥을 얻어먹고, 처음만난 삼춘네 집 빈방에서 잠을 청했다.

섬 속의 섬. 이 곳은 나를 닮았다.

세상 속에, 사람들 속에 나 또한 섬으로 살아왔다.

나는 그 해에 한 편의 시나리오를 완성시켰다.

이미 완성된 이야기가 내 머릿속에 들어와 손가락을 통해 글자로 배출 된 기분이었다.

이 완성된 시나리오로 그 해부터 영화를 찍기 시작했던 것이다.

이 섬의 사람들은 나에게 대부분 따뜻했고, 일부는 나를 울렸고, 일부는 안타까웠고 ,

그 모두는 나와 닮았다.

그렇게 나는 .. 이 섬에서 환대 혹은 멸시를 받고 인정 혹은 시기를 받으며 살아간다.

계속 기록을 하려 한다. 이 섬과 사람들과 이 섬을 닮은 나의 진짜

모습들.

새벽바다가 나에게 물어왔던 질문이 떠오른다.

"네가 진짜 원하는 게 뭐야?"

나는 대답한다.

"명예와 영화. 그렇게.. 모든 것."

항상 갈망해왔다. 진정한 사랑. 계산 없는 신뢰. 조건 없는 친절. 독보적인 재능. 타고난 운.

아무리 들이마셔도 갈증이 해소되지 않는 바닷물처럼 이 갈망은 완전하게 채워지지 않을 것을 안다.

하지만, 이 섬에 살며 한 가지 얻은 진리는 확실하다.

'타인을 위한 삶' 만이 진정으로 '나를 위하는 삶'이 될 수 있다는 것이다

머리로 알게 된 이것을 가슴으로 행할 수 있는 날이 언젠가 오게 될거라 스스로를 믿어본다.

오늘도 나는 새벽녘 코랄빛 노을이 파란 바다에 숭덩 빠져드는 이곳에 들어간다.

하늘빛이 바다에 퍼져 반짝거리는 윤슬을 손으로 어루만진다.

하압- 하고 시원한 공기를 들이마시면 새벽의 서늘한 바람이 심장에 오른 열을 식혀준다.

기분이 좋아진다.

하얗게 자꾸자꾸 밀려오는 파도가 오늘도 많은 기적이 있었다며 나에게 일렁임으로 얘기한다.

'이 모든 것이 기적이야.'

나는 바다와 문답을 마치면 사뿐사뿐 걸어서 집으로 돌아온다.

새벽 1시가 지나고 잠에 들기 위해 누워 멀찍이 바다에서 일렁이는 파도소리를 듣는다.

'너희는 새벽에도 잠들지 않는구나. 그래서 기적은 매순간 멈추지 않는구나.'

새벽 바다의 기적   끝.

특별한 서른

한송이

한송이   '작가가 되는 게 꿈이야'라는 막연한 생각으로 시작한 나의 스무 살 문
예창작과를 입학했지만, 생각보다 쉬운 길이 아니었다. 마주한 현실은
취직만이 살길이었고, 그렇게 지금까지 왔다. 두려움이 더 많아지기
전에 시작도 못 했던 꿈에 한 발짝 앞으로 나아가기 위해 큰마음 먹고
작은 용기를 낸 평범한 여자.

인스타그램: @s_song_han

서른이란 나이가 어색하던 봄. 갑작스러운 소꿉친구의 부고 소식이 전해졌다.

장례식장 문을 열자마자 내 앞에 보이는 건 넋을 놓고 멍하니 앉아 있는 소꿉친구 형이었다. 오빠의 얼굴은 눈물로 가득했다. 초점 없는 눈으로 날 보자마자 '하..' 짧은 한숨을 내뱉었다.

나는 슬픔도 슬픔이지만 어이가 없고 기가 막혀 짜증이 났다. 예고도 없었다. 갑자기 우리에게 닥친 큰 사건이었다.

고인이 된 내 친구와 나는 부모님들과 친구로 태어날 때부터 자연스레 친구가 되었다. 같은 동네에서 살다가 이사를 해야 할 시기도 비슷해 같은 시골 동네로 이사를 하기도 했다.

어린이집 다닐 때였다. 계단 앞에서 누가 먼저 빨리 올라가는지 게임을 했다. 짧은 다리로 시멘트 계단을 올랐다. 한번 하고 나니 너무 재미났다. 한 번 더 하자고 했다.

두 번째 게임에서 사고가 생겼다. 너무 신이 난 나머지 나는 웃다가 발을 잘못 디뎌 시멘트 계단에 코를 박았다. 눈을 질끈 감았는데 앞이 너무 밝았다. 별이 보인다는 게 이런 거였나 싶었다. 머리부터 엄지발가락까지 찌릿했다. 어린이집이 떠나가라 소리 내 울었다. 작은 얼굴에 눈, 코, 입이 여기저기 옮겨 다니는 듯한 표정이 되더니 결국 친구도 미안하다며 같이 울음을 터트렸다.

그 후에도 우리의 사건 사고는 끊이질 않았다.

성탄절 연습을 위해 교회를 가는 날이었다. 무릎까지 쌓인 눈을 힘겹게 걸어가다 친구에게 눈싸움하자고 했다. 처음엔 눈으로만 던졌다. 친구는 재미를 느끼지 못했다. 좀 더 재밌는 눈싸움을 하고 싶었는지 눈덩이 속에 작은 돌멩이를 넣고 던졌다. 내 얼굴의 정타였다. 기분이 몹시 나빴다. 분했다. 울면서 '너와 친구를 하지 않겠다.'라고 선언했다.

시골 동네라 할아버지들이 타시던 빨간 오토바이가 있었다. 우리는 밭에서 일하시는 할아버지 몰래 오토바이를 가져갔다. 너무 신이 났다. 나도 모르게 소리를 질렀다. 내 소리에 친구는 놀라 앞에 있던 흙덩이를 피하지 못했다. 중심을 못 잡고 결국 우리는 오토바이와 함께 넘어졌다. 팔꿈치, 무릎이 까졌지만 아픔을 느낄 여유가 없었다. 할아버지의 오토바이가 망가졌다. 부모님은 우리 대신 할아버지께 허리를 숙이며 사과하셨고 오토바이 수리값을 드렸다. 그날 저녁 안방의 공기가 무거웠다. 분위기가 심상치 않았다. 맞기 전부터 울기 시작했다. 무서웠다. 회초리로 맞는 건 너무 아팠다. 참고 종아리만 맞으면 되는 걸 나는 못 참았다. 한 대 맞고 온 집안을 펄펄 뛰며 도망 다녔다.

그렇게 우리는 늘 함께였고, 어디를 가나 천하무적이었다. 말 못 하던 그때부터 앞가림할 수 있는 정도에 나이까지도 함께였다. 우리가 중학교 무렵 친구의 부모님께서 일찍 세상을 떠나셨고, 그렇게 내 친구의 가족은 형뿐이었다.

성인이 되어 우린 다른 친구들과 함께 술자리를 가졌다. 대학에 입학해 새로 사귄 친구들 얘기하기 바쁜 친구가 있고, 다른 친구는 취업에 성공해 첫 월급을 받았다며, 엄마에게 빨간 내복을 선물해 드렸더니 너무 좋아하셨다. 라는 말을 했다. 말을 듣던 몇몇 친구들이 '원래 첫 월급으로 사드리는 거지', '잘했네', '효자네'라는 반응을 보였다. 나는 소꿉친구를 쳐다봤다. 소꿉친구의 표정이 어두워졌다. 그러고는 일어나 밖으로 나갔다. 나도 조용히 뒤따라 나갔다. 소꿉친구는 주머니에 담배를 꺼내 입에 물었다. 둘 다 아무 말 없이 있었다. 그리고 소꿉친구의 한숨 섞어 말이 잊히지 않는다. '엄마 보고 싶다.'

서로가 앞을 향해 가고 있을 무렵 친구의 형은 사랑하는 사람을 만나 아이가 생겨 함께 살게 되었다. 조카가 생긴 우리에게도 웃음이 끊이질 않던 그때, 나에게도 엄마의 아픔이 찾아왔다. 암이라는 질병의 우리 가족은 절망에 빠졌다. 그렇게 다니던 직장을 그만두고 엄마에게 집안일에 집중했다. 그렇게 시간이 흘러 엄마의 몸이 아주 좋아지실 때쯤 취업을 준비했다. 이력서를 넣고 입사, 퇴사를 반복하던 그때 정착하고 마음이 너무나 커서, 신중한 고민 끝에 결정한 곳으로 입사하게 되었다.

중소기업의 제조업 회사였다. 회사에 돈 관리를 하는 경리 여직원이 있었다. 나이는 50대 초중반 1남 1녀 자녀를 둔 워킹 맘이었다. 내가 느낀 그 여직원의 외관상은 곁에 두고 싶지 않은 모습이었다. 인수인계를 받을 때였다. 한 번에 이해하지 못한 적이 있었다. 그때 '공부 못했지?'라며 예의 없는 말을 아무렇지 않게 하곤 했었다.

생산 현장에서 일하시는 아주머니들과는 겉으로는 '언니' 하며 잘 지내는 날도 있지만, 작은 말실수가 있던 날이면 나에게 안 좋은 말로 욕을 하기도 했었다. 나쁜 모습만 있던 건 아니었다. 사무실 업무가 적은 편이었다. 가끔 기분이 좋을 때는 나에게 이런저런 얘기를 했다. 그 중에 가장 해맑게 웃으면서 얘기하던 때는 자녀들의 자랑을 말할 때 이었다. "공부하라고 말한 적이 한 번도 없었는데, 스스로 공부도 하고 성적도 우수하다. 머리는 날 닮은 거 같아 호호호"

신나 보였다. 하지만 나는 전혀 신나지 않았다. 듣기 싫었지만 웃으며 열심히 사회생활을 했다.

입사한 지 10개월 정도 되었을 때, 소꿉친구는 감기가 심하게 걸려 병원에 입원했다. 나는 입원했다는 연락을 받고 주위 친구들에게 퇴근하고 병문안을 갔다. 몸집이 제법 있던 친구였는데 수척해진 얼굴로 병원복을 입고 힘겹게 앉아있는 모습이 낯설었다.

각자의 삶을 살던 그날 곧 있을 어린이날 연휴에 대해 다른 친구들과 함께 메신저로 대화를 주고받았다. 아침 출근하고 나서 짧은 업무 마무리와 함께 퇴근 시간까지 바쁜 업무도 없고 더 이상의 업무도 없었고 경리 여직원도 개인적 시간을 즐기고 있었다. 그때 소꿉친구의 형수님으로부터 나에게 전화가 왔다. 형수님의 목소리가 떨리는 게 이상해서 화장실로 갔다.

"도련님이 죽었어요."

내 귀가 잘못된 줄 알았다. 있을 수 없는 일이라 생각했다. 온몸이 저렸다. 숨이 잘 쉬어지지 않았다. 묻고 싶은 말들이 있었지만, 말이 나오지 않았다. 수화기 너머로 형수님의 울음소리가 들렸다. 그리고 전화가 끊겼다. 나는 병원으로 가야 했다. 직접 봐야 했다. 마음이 급해졌다.

"지금 가야 해요"

사무실로 돌아와 나는 떨리는 목소리로 경리 여직원에게 친한 친구의 부고 소식을 전했다.

"네가 지금 가서 뭐 하니, 퇴근하고 가!"

여직원의 표정과 말투가 차갑게 달라졌다. 내가 잘못 들은 거로 생각했다. 그래서 되물었다. 여직원은 같은 말을 했다. 여직원보다 더 높은 사람이 필요했다. 하지만 그날 사무실에는 그 여직원과 나뿐이었다. 어쩔 수 없었다. 난 가야 했다. 마음이 너무 급해졌다. 외부에 계시는 이사님께 전화를 드렸다.

"그러면 가야지 회사에 있으면 어쩌니 얼른 가"

회사에 내 마음을 알아주는 사람이 너무 다행이었다. 연신 감사하다고 했다.

빈소를 지킬 때 들었던 얘기였다. 퇴원을 하고 싶던 소꿉친구는 병원과 가까이 있는 친구에게 퇴원 도움을 요청했다. 집까지 데려다주는 길에도 친구는 큰 병원으로 가자고 했지만 괜찮다고 집에 가고 싶다고 했다. 그렇게 반나절이 지났다. 소꿉친구는 친형에게 걸었다.

'숨을 쉬기 어렵다. 형 빨리 와'라고 했다. 오빠는 회사에서 일을 하고 있었다. 상황이 여의찮아 119를 불렀고 급한 대로 형수님에게 병원에 가보라고 부탁했다. 형수님은 오빠에게 '퇴원하지 말라고 했는데 왜 말을 안 듣고 퇴원했냐고!'라고 원망 섞인 말과 함께 화를 냈다.

형수님은 응급실 침대에 누워있는 도련님을 발견했다. 생각보다 심각해 보였다. 숨이 제대로 쉬어지지 않아 그런지 계속 물을 찾았다. 물을 주려고 했으나 간호사가 검사받기 전 물은 안 된다고 했다. 그렇게 숨이 멎었다.

형수님은 놀랐다. 숨을 헐떡거리던 도련님이 조용했다. 형수님은 가만히 있는 도련님을 흔들었지만, 점점 딱딱하게 굳어갔다. 한 번도 생각해 보지 않았던 상황이었고, 우리는 늘 함께 있을게 당연했다. 당연하게 생각했다. 질병이 있어 죽음을 예고하던 것도 아니었다. 스스로 죽음을 선택한 것도 아니었다. 예고 없이 찾아온 이별의 우리 모두 온몸으로 맞을 수밖에 없었다.

퇴원을 도와준 친구는 집에 데려다준 나 때문에 이렇게 된 거라고 괴로워했다. 빈소를 지키는 2일 내내 술을 마셨다. 부고 소식을 전해받은 사람들이 빈소를 찾아와 함께 슬퍼했다. 고인이 된 내 친구의 회사에서도 찾아왔다. 같은 부서에서 4년 넘게 동고동락하며 지낸 회사 동료들도 함께했다. 믿어지지 않는다며 빈소 입구에서부터 울면서 들어온 직원도 있었다. 고인이 된 내 친구를 좋아해 퇴근 후 밖에서도 회사 안에서도 잘 따르던 동생이라 했다. 모두 고인이 된 친구의 이야기로 가득했다. 회사에 입사해 열정과 최선을 다해 노력했다. 그 노력을 인정받아 과장 승진이 코앞이었다.

이 이야기 시작으로 우리가 병문안했던 날을 회상하기도 했다. 병문안 당시 친구가 치킨을 사줄 테니 먹고 가면 안 되냐고 했었다. 본인은 먹지도 못하는데 우리한테 사주고 싶다고 했다. 하지만 우리는 못 먹는 친구 앞에서 먹는 게 내키지 않았다. 그러나 우리는 치킨을 먹지 않은 게 너무나 미안했다. 앞으로 치킨만 보면 마음이 아플 거 같다고 했다. 발인하는 날까지 우리는 함께했다. 오빠는 우리가 자주 찾아갈 수 있도록 가까운 추모 공원에 친구를 두고 왔다.

연휴가 지나고 월요일이 되어 출근했다. 경리 여직원이 출근했고 인사를 했지만, 나의 인사를 무시했다. 아니, 인사가 아니라 나의 존재 자체를 무시했다. 늘 사무실에 걸려 온 전화를 내가 받았지만, 내가 받기도 전에 경리 여직원이 낚아채 받았다. 그렇게 반나절이 지났다. 단단히 틀어진 모양이었다. 마음이 너무 불편했다. 신경도 엄청나게 쓰였다. 용기 내 이유를 물어봤다.

"넌 현관문에 있는 새똥이나 치우렴"

한참이 지나 나에게 앙칼진 목소리로 대답했다. 그리고 이내 덧붙여 내게 말했다.

"네가 담당하는 업무에 모두 손을 떼, 너는 청소나 해"

사람 내보낼 때 쓰는 방법이라는 걸 느꼈다. 바로 현장 이사님에게 찾아가 상황설명을 했다.

"사람이 먼저지 회사가 먼저가 되면 안 된다. 그래도 조금만 버티자"

이사님은 안쓰러운 표정으로 날 다독여 주셨다.

그 후 매일 청소하는 직원으로 출근했다. 청소를 마치고 사무실로 돌아와 자리에 앉았을 그때 경리 여직원은 따지듯 소리치며 나에게 말했다.

"네가 회사에서 중간에 나갈 만큼 친구가 중요해? 가족도 아닌데 그렇게까지 했던 행동은 잘못된 거야. 나도 부모님 돌아가셨을 때 회사 퇴근하고 부모님 장례 치렀어. 근데 넌 뭔데 가족도 아닌 고작 친구 가지고 그렇게 유난이야?"

순간 당황했다. 그렇게 존재 자체를 무시하더니 더 이상 못 참고 얘기하는 건가? 속으로 말을 곱씹었다. 화가 났다. 어른 같지 않았다. 저 말을 듣고 참고 있으면 지는 거 같아 맞받아쳤다.

"너에게 부모님은 중요하지 않은 존재였나 보다. 그러니 나의 행동이 이해될 리가 없지, 네 자식들에게 똑같은 대우를 받으렴, 그리고 나는 어른 같지도 않은 사람에게 예의를 갖출 필요 없다고 배웠어. 평생 너는 그렇게 살아. 내가 어떤 말을 해도 이해 못 하잖아."

부들부들 떨리는 손에 가방을 들고 회사를 나왔다.

이렇게 나올 거 욕이라도 할 걸 후회했다. 운전하며 가는 내내 서러웠다. 정착하고 싶어 신중하게 고민하고 선택한 회사였는데, 내 발로 차고 나와 버렸다. 이것도 하나 참아내지 못하는 나 자신이 한심한 마음도 들었다. 쉽사리 집에 들어가기 어려웠다. 갈 곳도 없었고, 도로 옆에 차를 주차해 한참을 대성통곡하며 울었다. 너무 서러웠다. 저녁이 되어 집에 돌아갔다. 퉁퉁 부은 얼굴을 본 부모님은 놀란 표정으로 이유를 물으셨다. 내일부터 출근하지 않기에 설명해야 했다. 회사에 있었던 일들을 말해드렸다. 아버지의 얼굴은 어두워지셨다. 물을 한 잔 드시고는 컵이 깨지듯 식탁에 내려놓으셨다. 당장 찾아가서 한바탕 하고 싶지만 그러지 못해 한숨으로 깊게 뱉으시고는 답답하셨는지 현관문을 열고 마당으로 나가셨다. 엄마는 알고 계시는 모든 욕을 쏟아내셨다. 그러고는 날 안아주시고는 나에게 이렇게 말하셨다.

"밖에서 모진 말들을 듣고 혼자 버티느라 힘들었지?"

차 안에서 다 울었다고 생각했다. 더 나올 눈물은 없을 거로 생각했는데 엄마의 말을 듣고 참을 수 없었다. 한참을 엄마의 품에서 울었다. 한참 후에 집 안으로 들어오신 아버지는 나에게 말하셨다.

"잘했어. 이런 일 저런 일 겪으며 사는 거야. 경험보다 무서운 선생님은 없단다. 직장은 다시 구하고, 돈은 다시 벌면 돼. 세상에는 별의별 사람 많아, 더 살다 보면 이보다 더 한 사람도 있어. 괜찮아"

자신감이 떨어졌다. 특별하게 능력이 없던 나는 결국 갈 수 있는 곳은 중소기업 또는 작은 소기업이었다. 앞길이 막막했다. 이력서를 15곳을 넣으며 매일 울었다. 사람도 사람이지만 그냥 버틸걸 그랬나? 생각도 했다. 아니었다. 절레절레 고개를 저었다. 더 나이가 들어 같은 상황이 와도 같은 선택을 할 거 같았다.

빈소에는 사람들이 새벽까지 붐볐다. 고인이 된 친구가 평소 친하게 지내던 회사 업체 직원 한 분이 찾아주셨다. 내 친구 영정사진 앞에 소주를 따라주며 우리에게 말해주셨다.

"도로에서 내 차 번호를 보고는 바로 전화하는 녀석이었어요. 전화로 기사님 식사는요? 기사님 운전 조심하시고, 다음 주에 봬요. 소주 한잔해요. 매번 이렇게 하는데 어떻게 안 예쁠 수가 있겠어요?"

들고 있던 소주잔을 내려놓지 못한 채 슬피 우셨다.

학창 시절부터 함께 친하게 지낸 친구가 가족 여행 중이었다. 부고 소식을 들으시고는 부모님께서 여행은 중요하지 않다며 바로 지방에서 올라오셨고 빈소를 찾아와 주셨다.

고마운 분들이었다. 이렇게까지 신경을 써주시고 마음 아파해 주시고 고인이 된 친구에게 알려주고 싶은 마음이었다. 영화나 드라마에서 보면 사람에게는 보이지 않지만, 육신에서 영혼이 빠져나와 자신의 빈소에서 사람들의 모습을 보는 것처럼 그렇게라도 봐줬으면 싶었다. 서른에 운명한 나의 소꿉친구가 안타깝다. 생각만으로 먹먹해졌다.

(에필로그)

6년이 지난 지금, 고인이 된 친구가 다녔던 회사에서 추모 공원에 다녀갔다는 소식을 다른 친구에게 전해 들었다. 알고 보니 매년 기일에 찾아와 인사를 했다고 한다. 요즘 시대에 믿기 어려운 얘기였다. 각자의 삶이 중요한 시대에 이렇게 매년 기일에 맞춰 인사해 주는 게 정말 고마웠다.

퇴원을 도운 친구는 여전히 마음 한쪽에 죄책감을 안고 있다. 벚꽃

이 활짝 피는 봄에도, 아스팔트가 뜨거운 햇살에 달궈지는 여름에도, 모내기 철에 심어놓은 벼들의 익은 고소한 냄새가 나는 가을에도, 러브스토리 영화가 생각나는 겨울까지 그렇게 계절이 바뀔 때마다 추모공원을 찾아갔다.

나는 새로 입사한 회사에 내 친구가 그랬던 것처럼 열심히 살아보려 노력했다. 입사 당시 인수인계를 받아야 하는데 내게 할 사람이 없었다. 그전에 했던 자료를 찾아가며 일했다. 거래 업체에 전화해서 되레 어떻게 하는 거냐고 묻기도 했다. 생전 처음 접하는 조명 업무였다. 건설 현장에 있는 사람들과 맞대는 일이다 보니 업무의 실수가 있을 경우엔 거친 말들을 듣는 날이 많았다. 실수하지 않으려 더 노력하다 보니 야근과 새벽 퇴근은 기본이었다. 3년 동안은 주말을 회사에서 일을 하며 보냈다. 시간이 지나 직원들도 늘 회사에 상주하는 내가 당연했다. 애정과 열정을 쏟았다. 내가 일궈놓은 일들에 애착이 갔다. 그렇게 하다 보니 책임감이 강해졌다.

학창 시절 이렇게 공부했다면 서울에 있는 대학은 합격 했을 거라며 우스갯소리로 친구들은 말했다.

생각해 보면 서른의 경험한 모든 일들이 슬프거나, 아프거나, 화가 나는 감정만이 느낀 게 아니었다. 최선을 다한 노력의 성과는 '나'라는 사람을 성장하게 했고, 예고 없이 떠난 내 친구의 영원한 이별은 사랑하는 사람들에게 표현하도록 나를 변화시켰다. 값진 경험이 되도록 버텨준 나의 서른에 특별해졌다.

구름길

스리3

스리3　　　ESFJ
　　　　　　'사랑해'라는 말을 가장 좋아함. 그다음은 '행복해'.

　　　　　　인스타그램: @ss_seulsul

항공권과 좌석 번호를 여러 번 확인하고서 자리에 앉았다. 창밖에는 이륙을 준비하는 비행기와 화물칸에 짐을 싣는 직원들이 보였다. 미국 여행이라니… 조그만 창문으로 보이는 풍경에 여행이 실감 나기 시작했다.

28년을 살아오면서 여행은 주 관심사가 아니었다. 타의로 여행을 가게 되더라도 전혀 흥미를 느끼지 못했다. 삶에서 가족과 친구만이 전부였다. 좋아하는 사람들과 자주 만나서 소소하게 얘기하는 것이 중요하다고 생각했지, 배경은 중요하지 않았다. 말 그대로 새로운 장소에서 추억을 만드는 즐거움을 알게 된 지 얼마 되지 않았다.

작년까지만 해도 잦은 야근으로 내 시간이 없었다. 올해 우연한 기회로 이직을 하면서 6년 만에 정상 퇴근이라는 걸 해볼 수 있었다. 저녁과 주말을 일에만 할애하다가 처음으로 생긴 자유시간에 자연스레 새로운 것에 관심이 갔다. 일하기 전에는 모든 시간을 집에서 온전히 쉬면서 보냈었는데, 장시간 일을 하다 보니 시간의 소중함을 알게 되었다.

그리하여 남들 다 하는 서른 되기 전 버킷리스트를 만들게 된 것이다. 어려울 줄만 알았던 버킷리스트를 쓰는 건 식은 죽 먹기였다. 하나씩 완수하기도 쉬웠다. 8개월 동안 버킷리스트를 모두 이루고 끝판왕인 해외여행만 남겨두고 있었다. 여행지와 세세한 계획 따위는 없었다. 연휴가 낀 일정에 맞춰서 해외를 다녀오면 성공이라고 생각했다. 혼자는 무서우니 패키지로 찾아보았는데, 이번 연휴와 쓸 수 있는 연차 개수가 맞은 패키지를 신청하고 보니 미국이었다.

신청이 처리된 당일 바로 항공권까지 결제했다. 회사에 휴가 일정을 결재받지 않고 저지른 일이었다. 후다닥- 여행 준비를 모두 마치고, 연차 신청서를 제출했다. 6일의 연휴와 6일의 연차임에도 회사는 쉽게 허락을 해주었다. 이렇게 빠르게 진행되다니.. 휴가 사용이 자유로운 회사여서 가능할꺼라 예상은 했지만, 결재 올린 당일에 바로 승인될지는 몰랐다. 미국여행은 내 운명이었다.

보기 좋게 접혀 있는 담요를 펼쳐 다리에 감싸고서 본격적으로 공항의 모든 장면을 눈에 담았다. 스물아홉의 나는 모든 장면이 소중하고 예뻤다. 사람이 전부였던 나에게 여행이 큰 부분이 될 거라고는 상상도 못 했었는데… 이제 나도 나이를 먹긴 했나보다…

쉽게 버킷리스트를 완수하던 나에게 큰 복병이 하나 있었다. 여행 계획 중에 가장 어려웠던 건 좌석 선택이었다. 창가 자리에 앉을까? 복도 자리에 앉을까? 하늘과 바다를 내려다볼 수 있는 창가 자리도 좋았고, 기내 서비스를 편하게 즐길 수 있는 복도 자리도 좋았다.

노트북 앞에서 쭈그리고 앉아 수없이 좌석을 변경했다. 지금도 오른쪽 복도 자리만 보면 그때 생각이 떠올라 어지러움이 몰려오는 듯했다. 애써 설레는 마음을 부풀리며 걱정이 자리 잡을 틈을 만들어 주지 않았다.

부끄러워서 어디 말할 수도 없었다. 창가 자리에 앉을 때 화장실을 자유롭게 다녀오기 불편하지 않을까 걱정하는 사람이 나 말고 또 있을까? 기내 서비스를 요청할 때 내 서툰 영어를 승무원분들이 알아듣지 못할까, 화장실을 가고 싶지만 곤히 자는 사람을 깨우지 못할까, 더욱이 그 옆 사람이 외국인이면 어떡하지? 걱정을 하는 사람이 또 있을까?

평소에 일어나지 않을 일을 미리 걱정하는 성격은 아니었다. 하지만 외국인 앞에서는 한없이 작아지는 사람이었다. 좌석 선택은 해야 했기에 복도 자리를 선택했지만, 깊은 아쉬움이 있었다. 그래도 먹는 것보다는 역시 창밖을 보는 편이 낫겠지.. 결국에는 12시간의 비행 동안 화장실을 가지 않겠다고 다짐하고 나서야 선택을 번복하지 않을 수 있었다.

아무렇지 않은 척했지만, 외국인들이 옆을 지나갈 때마다 불안이 엄습해 왔다. 제발.. 한국인이어라… 이미 답은 정해져 있었지만 속으로 빌고 또 빌었다. 탑승 마감 5분 전까지 옆자리 주인은 나타나지 않았다. 혼자서의 비행이구나. 좋아라. 이대로 아무도 오지 않기를… 두 손 모아 기도하며 통로만 주시했다.

정확히 탑승 마감 1분 전 멀리서 웅성거리는 소리가 들렸다. 아.. 드디어 왔다… 앞좌석에 숨어서 작은 구멍으로 들어온 사람들을 살펴보았다. 이십 대 학생들이었다. 귀여웠다.. 갈색머리에 흰 티를 입고 있는 남자가 가장 눈에 띄었다. 강아지 눈망울이 귀여웠는데 그에 반해 큰 체격에 캥거루가 떠올랐다. 캐나다에서 리트리버에게 팔 관절 공격을 걸고 있는 캥거루 사진이 생각나 자꾸만 웃음이 새어 나왔다. 자꾸만 눈길이 저 남자에게로 향했다.

갑자기 그가 당황한 표정을 지었다. 무슨 일이 있는 걸까. 바뀐 남자의 표정에 걱정하며 그의 시선 끝을 따라갔다. 오른쪽도 왼쪽도 아닌 시선 끝에는 내가 있었다. 웁스.. 변태같이 숨어서 몰래 보다가 걸린 자신이 너무 한심해서 한숨을 크게 내쉬었다. 모르는 남자를 훔쳐보는 것도 모자라서.. 음흉하게 웃기까지 하다니.. 정말.. 나도 대단하다.

그의 시선을 피해 앞 좌석 뒤로 몸을 숨기고 자책했다. 후.. 미쳤어. 미쳤어.. 표정 관리를 하며 아무 일도 없었다는 듯이 자세를 고쳐 앉아 핸드폰을 보았다. 낯 뜨거운 시선이 느껴졌지만, 입술을 꾹 깨물고 모른 체 했다.

1분 정도 흘렀을까 조심스레 고개를 들었을 때 그 남자는 아직도 나를 호기심 가득한 눈으로 바라보고 있었다. 반대로 더 당황해하며 눈을 마주치자, 누가 먼저라 할 것도 없이 동시에 웃음을 터뜨렸다. 첫눈에 알았다. 그는 웃을 때 부드럽게 그어진 눈주름에 쏙 들어가는 보조개가 예쁜 사람이라는 걸….

좌석 사이로 그를 보았다. 귀여워... 뭔가 내 옆자리에 저 남자가 앉을 거 같아. 촉이 왔다. 그와의 사이가 가까워질수록 확신이 섰다. 이런 상황에 계속해서 실웃음이 흘렀다. 그도 자신의 옆자리가 나라는 것을 예감했는지 똑같이 웃어 보였다.

이번에 웃는 모습은 아까 분위기와 사뭇 달랐다. 차가운 공기가 맴도는 기내에 우리 둘만이 탑승해 있는 것만 같았다. 사방에서 들리던 웅성거림도 들리지 않았다. 그는 긴 다리로 뚜벅뚜벅 걸어오더니 정말 내 옆자리에서 멈춰 섰다. 그가 항공권과 좌석 번호를 다시 확인하더니 푸하하- 웃었다. 나도 그를 따라 웃었다. 신기했다. 그 많은 사람 중에 어떻게 그가 눈에 들어왔고, 옆자리 주인이라는 촉이 왔으며, 초면인 사람과 친한 친구같이 웃어 보일 수가 있었을까. 그것이 그와의 첫 만남이었다.

그의 이름은 주헌이었다. 나란히 앉게 된 것도, 같은 여행 패키지를 신청한 것도 우연이었다. 같은 패키지였지만, 같이 여행을 하는 건 아니었다. 그래서 서로의 존재를 모르고 있었다. 옆자리가 한국인이라서 다행이었고, 친동생 같은 사람이 앉아서 좋았다. 그는 나보다 4살이나 어렸다.

"비행기에서 시간 보내려고 챙겨왔는데, 같이 할래?"

도화지, 색깔 펜, 편지지, 스티커… 평소에도 챙겨 다녔다. 그 당시에 느꼈던 감정을 추억하는 게 좋았다. 사진으로 남기지 못하는 상황이 오면 감정을 기록하거나 그림을 그렸다. 비행기에서도 느꼈던 감정을 추억하면 좋을 것 같았다. 동생 같은 그에게도 의미 있는 선물이 될 거라 생각하고 제안했는데 흔쾌히 받아주어서 기뻤다.

"어떤 걸 그리면 될까요?" 그의 입가에는 미소가 가득했다.

우리 사이에 필통을 두고, 손바닥만 한 도화지를 건넸다. 지금 느끼고 있는 자신의 감정을 자유롭게 그리면 된다고 말하고 싶었지만, 늙은이라고 생각할 것 같았다.

"서로 얼굴 그려주기 어때?"

처음 본 사람의 얼굴을 그려주자는 말에 그는 또 한 번 웃음이 터져 버렸다. 그는 디자인 전공자라며 예쁘게 그려주겠다며 자신감에 차 있었다. 반짝이는 눈을 하며 열심히 그리는 모습이 왠지 모르게 귀여웠다. 나는 그림은 좋아했지만, 실력은 꽝이었다. 둘 사이 그림 실력이 너무 비교될까 봐 나름 캐릭터화하려 그리려고 얼마나 애썼는지 모른다. 동그란 얼굴, 일자 앞머리, 진한 쌍꺼풀에 강아지 눈동자 그리고 보조개까지 그렸다. 그는 내 그림을 보며 유치하다며 개구쟁이처럼 웃었다. 내 실력을 알았기에 많이 얄밉지는 않았다.

집중하는 그를 바라보고 있으니 이상한 느낌을 받았다. 어쩌면 그와의 인연이 계속 이어질 것만 같았다. 계속 나오는 촉에 이상함을 느끼며 야무지게 움직이는 손을 바라보았다. 그는 그림을 완성시키는데 꽤 오랜 시간이 걸렸다..

"누나 선물이에요"

그가 눈을 반짝였다. 귀여워... 하지만 그 생각은 1초 만에 허공으로 사라져 버렸다. 기대가 큰 만큼 실망도 크다고 했던가. 그의 그림은

5살짜리 아기가 그린 그림 같았다. 그의 실력은 더도 말고, 덜도 말고 딱 그 정도였다. 난해하기도 했지만, 도화지에는 귀신 하나가 그려져 있었다. 내가 귀신 같은가..? 장난일까? 진심일까? 그의 웃음에 장난기가 가득했지만, 눈빛에는 진지함이 묻어 나왔다. 그저 진지한 표정으로 자신의 그림을 자랑하는 모습에 어이가 없었지만, 결국에는 두 손 두 발 들고 엉망인 그림 실력에 고개를 젖혀가며 푸하하– 웃었다.

"킥킥 너 진짜 그림 못 그린다. 디자인 전공 맞아?"

"디자인 전공 맞는데.. 열심히 그렸는데…"

그는 진심이었다고 하지만 나는 그게 정말 진심이 담긴 그림이라면 더 인정해 주고 싶지 않았다.

"응 아니야~"

이 논쟁은 기내가 소등될 때까지도 끝나지 않았다. 서로의 그림 실력을 뽐내기 위해 가져온 도화지를 모두 사용했다. 나도 이제 그의 수준을 파악하고서는 자신감을 가지고 편안하게 그릴 수가 있었다.

신기하게 우리는 웃음 코드가 같았고, 게임을 좋아하는 취향도 같았다. 냅킨을 받으면 냅킨을 가지고 할 수 있는 게임을 했고, 태블릿에 설치되어 있는 모든 게임에 내기를 걸었다. 우리는 게임 속 공 하나가 삐뚤게 움직이는 것조차 재밌어했다. 마지막까지 내기하며 게임에 불을 붙이던 우리는 꼼수까지 난무했다. 결국 꼼수를 쓰다가 걸린 그는 지금까지 얻은 소원권을 몰수당하기도 했다. 꼼수가 걸려 무효가 되는 상황에서도 억울한 표정을 한 그였지만 입은 장난스럽게 웃고 있었다.

"이번 한 번으로 모든 게임의 내기를 무효화 하는 건 불공평하잖아."

"언제부터 꼼수를 쓰고 있었는지 모르는 일이잖아. 반칙패야. 네가 졌어"

우리는 서로를 보며 피식거렸다. 소등된 비행기 안에서 우리의 자리만이 불빛이 반짝이고 있었다.

외국인 울렁증이 있는 나의 사연을 들은 그는 고개까지 젖혀가며 배를 부여잡고 웃었다. 괜히 말했나.. 얄밉게 웃는 그를 째려보았다. 그 이후 그는 나를 위하여 모든 요청을 대신 해주었다. 화장실에 가고 싶어 할 때는 대신해서 외국인에게 양해를 구하고, 내가 고른 기내식과 다른 메뉴를 주문하여 내가 여러 가지를 맛볼 수 있도록 배려해 주었다. 그의 영어 실력도 그림과 같이 나와 비슷한 수준이었지만, 나서서 챙겨주는 모습이 대견했다.

"누나, 하늘이 보라색이에요"

눈꼬리를 내리며 입가를 부드럽게 올리는 그가 귀여웠다. 그의 말대로 창밖의 하늘은 연보랏빛으로 물들어 있었다. 연보라색의 구름 사이로 비치는 빛은 영롱했다. 처음 보는 신기한 광경에 창문에 가까이 기대어 감탄을 쏟아내었다. 하지만 우리는 창밖의 비밀을 바로 알게 되었다.

승객들을 살피던 승무원이 우연히 우리의 감탄을 듣게 되었고, 하늘과 구름이 보라색으로 보이는 이유를 설명해 주었다. 창문에 블라인드 설정이 되어 있어서 보라색으로 보였고, 설정을 끄면 원래의 색을 볼 수 있다고 하셨다. 민망함이 몰려왔지만 잠시뿐이었다. 우리는 바보처럼 웃으며 즐거워했다.

기내식을 먹는 시간에도, 소등되는 시간에도, 피곤함에 눈꺼풀이 감기는 순간에도 서로의 이야기에 집중했다. 불이 꺼진 비행기에서 모든 사람이 꿈을 꾸었지만, 우리는 서로에게 푹 빠져 있었다.

긴 비행시간으로 피곤하고 지쳤을 텐데 함께 해준 그에게 고마웠다. 의자에 기댄 채 작은 불빛 아래 비친 그를 바라보았다. 그의 눈에는 옅은 쌍꺼풀이 예쁘게 자리하고 있었다. 유심히 그를 바라보자, 그가 따스한 미소를 보여주었다. 서로를 바라보며 눈길을 마주했다. 그 순간만큼은 비행기 안에 우리 둘만 있는 것 같았다. 어두운 기내는 편안하고 고른 숨소리로 가득해, 서로의 가슴 뛰는 소리가 들렸다. 종이 한 장만한 창문으로 들어온 연보랏빛이 그런 두 사람의 마음을 비추고 있었다.

시간이 얼마나 지났을까. 사람들의 웅성거림이 노래가 꺼진 이어폰을 타고 들어왔다. 무거운 눈꺼풀을 쉽사리 뜨지 못한 채 의자에 기대 사람들의 이야기에 귀를 기울였다. 자장가 같았다. 익숙한 목소리도 들렸다. 그의 장난기 다분한 목소리였다. 그리고 그와 같이 장난치는 여자 목소리도 들렸다. 나보다 친해 보이는 대화에 질투가 났다. 하지만 나랑은 아무 사이도 아닌걸 하면서도 둘의 미국 일정이 신경 쓰였다.

"누나?"

그의 목소리에 방금 잠에서 깬 척하며 눈을 떴다. 기내는 환해져 있었다.

"누나 악몽 꿨어요? 눈을 찌푸리고 있었어요. 입도 삐죽거리고.."

여자애랑 하는 얘기 다 들었다며 질투할 수 없었기에, 아무 말도 하지 않았다. 잠에서 덜 깬 척 멍하니 허공만 바라보았다. 그러고 보니 그의 얼굴이 엄청 가까이 있었다. 깜짝 놀라며 뒤로 물러섰다. 피곤함에 정신없이 자다가 그의 어깨에 기대 잠이 들었는데, 그는 내가 깰까 봐 움직이지도 못하고 버텼다고 했다.

"누나 잘 자던데요?"

자다가 어깨에 기대는 그런 불상사가 생기지 않을까 걱정하며 반대로 웅크리며 잤는데.. 괜히 마음을 들켜버린 거 같아 부끄러웠다.

시계는 새벽 6시를 가리키고 있었다. 1시간 뒤면 그와 헤어져야 했다. 아쉬움이 가득한 채로 시간을 보냈다. 시간이 끝나지 않기를 바랐지만, 남은 1시간은 유난히 빠르게 흘렀다.

"피곤했을 텐데 끝까지 재밌게 놀아줘서 고마워."

"나도 재밌었어요. 누나 다음에 또 놀아주세요."

다음을 기약하는 그는 싱긋 웃더니 나의 머리에 장난스레 손을 얹었다. 마주 보는 상황이 묘했다. 나의 마음을 아는지 모르는지 그는 개구쟁이 같은 표정을 유지했다.

샌프란시스코공항에서 멀어져가는 그의 뒷모습이 마지막이었다. 그의 목소리도, 웃음도 잊히지 않았다. 그의 여운은 미국 여행 내내 줄곧 나를 따라다녔다.

미국에서 밤은 아름답고 화려했다. 아쉬운 마지막 밤을 보낸 뒤 일상으로 복귀했다. 한국으로 입국하자 서울은 새로운 계절을 맞이할 준비를 끝내고 있었다. 10월의 서울은 가을 향기로 가득했고, 높디높은 하늘에는 구름 한 점 없었다.

서울에 돌아와서도 그가 생각났다. 번호 교환을 하지 않았지만, 그에게서 카톡이 오지 않을까? 신경이 쓰였다. 아직도 그의 잔상을 주변에서 찾고 있었다.

평소와 같이 퇴근하고 터벅터벅 길을 걸어가는데 비행기에서 그와 마셨던 달콤한 커피 향이 났다. 나도 모르게 커피 향에 이끌려 카페 주변을 서성였더니 카페 주변 모든 사람들이 그로 보였다. 그와 비슷한 스타일을 한 사람을 발견하고는 반가웠지만 마음 한편으로는 씁쓸했다. 저 사람이 그였다면 얼마나 좋을까. 아린 마음에 고개를 숙이고 지나가려는데 곧바로 익숙한 목소리가 따라붙었다.

"누나다."

듣고 싶었던 목소리가 들리지 않을 것 같은 곳에서 들리니 가슴 한구석이 빠르게 쿵쾅거렸다. 소리가 나는 방향으로 고개를 돌리자, 목소리의 주인과 시선이 닿았다. 보고 싶었던 그였다. 생각지도 못한 곳에서 그를 보자 놀라면서도 복잡한 눈으로 바라보았다.

"보고 싶었어요."

쑥스러워하는 얼굴을 하며 가까이 다가왔다.

"누나 다른 약속 없으면 저랑 저녁 먹을래요?"

잠깐 망설였지만, 곧 미소를 보이며 고개를 끄덕였다.

그가 싱긋 웃으며 시선을 마주치자, 얼굴이 화끈거렸다. 우리는 논현동의 한 음식점에서 비행기에서의 추억을 회상했다. 이곳에서도 불빛은 우리 자리만 아늑하게 비추고 있었다. 고요한 분위기는 우리가 비행기에 있었던 추억을 떠올리기에 충분했다.

하나 다른 점이 있다면 서로를 바라보는 눈빛이었다. 그를 좋아하고 있었다. 헤어지고 연락도 없이 2주 만에 다시 만났지만, 오래된 사이처럼 편안했고, 그때처럼 지극히 쓸모없는 얘기에도 즐거워했다.

"비행기에서 너무 즐거웠어. 그렇게 웃어본 적 처음이야."

가을 하늘 아래에서 두 사람은 손을 맞잡았다.

"행복하다.."

실없는 웃음에 그가 피식 웃더니 맞잡았던 손을 풀어 품에 꼭 안아주었다. 너도 나와 같은 마음이었다. 행복한 이 순간이 오늘로 끝나지 않기를 바랬다.

그가 나와 시선을 마주하며 싱긋 웃었다. 처음 보았던 예쁜 미소를 보이며…

#Epilog - 비행기에서의 꿈

허공으로 첫걸음을 내디뎠더니 발아래에 하얀 솜이 밟혔다.

구름이었다. 구름은 바다가 훤히 보일 만큼 투명하고 깨끗했다.

내 더러운 발이 구름을 더럽히지 않을까?

아린 마음에 그만 눈물이 핑 돌았지만, 눈물을 보이고 싶지 않아 손톱으로 살을 꼬집었다.

고개 숙인 채 돌아서려 하자 작은 구름이 얼굴을 가린 머리카락을 쓸어 넘겨주었다.

위로받은 기분에 서러움이 물밀듯 밀려왔다.

며칠간 쌓였던 힘듦이 몰려와 그만 무릎에 얼굴을 묻고 눈물을 펑펑 쏟아버리고 말았다.

작은 구름은 나의 어깨를 토닥여 주었다.

작은 구름이 몽글거리는 손을 내밀어 주었다. 그리고 한 걸음, 두 걸음 천천히 걸었다.

구름길을 밟을 때마다 부드러운 감촉이 온몸에 고스란히 전해져 우울했던 마음이 한꺼번에 녹아내리는 듯했다.

길고 긴 구름길 끝에서 작은 구름과 작별 인사를 했다.

시간이 흘러 구름이 함께 왔던 길을 혼자서 걷게 되었다.

안개가 자욱한 구름길도 구름과 함께한 기억을 떠올리니 더 이상 무섭지 않았다.

가벼운 발걸음으로 구름길 끝에 다다르니 따뜻한 바람이 불었다.

그 사이로 주헌이가 나타나 환한 미소로 반기며 꼭 안아주었다.

나는 한국의
"펫샵" 소비자였습니다

경아

경아

편집자, 작가, 디자이너, 반려견 보호자, 가드너. 다양한 수식어를 가지고 있다.

감정을 읽거나 표현하는걸 좋아하며 감정을 흔드는 것들에 관심을 쏟는 편이다.

특히 복실한 털로 뒤덮인 반려동물이나 푸릇함을 뽐내며 자라는 반려식물을 각별히 사랑한다.

사랑 받는 것에 익숙치 않았으나 맹목적인 사랑을 깨닫고 이를 나누려 노력하는 중이다.

네이버 인플루언서 홈: in.naver.com/bebera,
이메일: a_k_97@naver.com

"다리 하나를 잘라내야 할 수도 있습니다."

담당 원장님의 말씀에 눈물조차 흐르지 않았다.

라온이는 검사를 위해 온몸을 빡빡 밀게 되었다. 추워서인지 무서워서인지 라온이는 바들바들 떨었다. 눈물을 한가득 달고 나를 쳐다보는 라온이의 눈망울은 마치 나를 대신해 우는 것만 같았다.

"그리고.. 최악의 상황도 함께 말씀드리게 되어 죄송하지만,
검사 후 조직 상태에 따라 절제 이후 재발 시 1년 이내 사망에 이를
수 있는 점......"

귓바퀴를 타고 울려 퍼지는 선생님의 목소리를 따라 펄떡펄떡 내
심장도 어찌할 바를 모르겠다 날뛰고 있었다.

"살려만 주세요, 선생님. 부탁드립니다."

깊게 숙인 머리 위로 날 가만히 쳐다보던 선생님은 최선을 다할 테

니 믿어보라 하셨다. 정작 듣는 내게는 닿지 못한 말이었지만.

그렇게 도착지에 미처 도달하지 못 한 선생님의 말씀은 공중에서 산산이 부서져 갔다.

너와의 온전치 못 한 만남

"부웅~ 아, 귀여워!"

지금 내 손바닥에서 슈퍼맨처럼 팔다리를 쭉 뻗고 있는 이 작은 꼬물이를 데리고 온 건 충동적이지도, 계획적이지도 않은 결정이었다.

우울증에 빠져 허우적대며 자꾸만 삶을 포기하려는 내게 사람 외의 따스한 온기나 일종의 책임감이 필요하다고 판단했던 걸까, 반려동물을 키우면 마음의 병이 사라진다는 기사를 읽었어! 라는 남자친구의 말을 따라 고심하길 몇 주, 우연히 지나게 된 그 길거리는 하필 지역의 펫 샵 거리였다. 그 당시만 하더라도 인터넷으로 자유롭게 반려동물을 사고파는게 당연한 시기였다. 마찬가지로 오프라인에서도 각 도심지마다 펫샵이 옹기종기 모여 거리를 형성했었다. 유리창 너머로 층층이 올려진 아크릴 박스 안에서 마냥 해맑게 꼬리를 부웅부웅 흔들며 밖을 쳐다보는 아이들을 볼 수 있었다. 그중에서도 우리가 서 있던 밤거리를 덮는 하늘만큼이나 까맣고 꼬불거리는 털을 가진 푸들이 눈을 사로잡았다. 온통 하얗고 얼룩덜룩한 아이들 사이에서 혼자 한없이 어두워져 보겠다는 듯 새까만 아이였다. 특히 까만 눈 근처를 두르고 있는 초콜릿 색 띠는 아이의 눈에 더욱 빠져들게 했다. 이 거리에 온 김에 보기만 하고 가자던 우리는 홀린 듯 펫샵에 들어가게 되었다. 첫눈에 반한 그 아이를 품에 안아보았고, 그대로 데리고 나오게 되었더랬다. 그렇게 우리는 라온이와 가족이 되었다. 강아지와 함께할 미래를 차근히 생각하며 이리저리 카페를 찾아보며 고심하던 것 치곤

첫눈에 반해 데리고 온 충동적인 결정이었다.

그렇다. 우리는 지금 현대사회가 혐오하고 없어져야 한다고 목소리를 내는 '그' 펫샵 소비자였다.

- 끼잉 끼잉

라온이가 힘들다고 보채는 소리를 낸다. 어제부터 꾸르륵거리는 배를 바닥에 꾹 내리누르며 아픔을 참아내고 있었다. 하필이면 늦은 밤부터 아픈 바람에 동네 병원이 문을 여는 아침까지 라온이도 나도 뜬눈으로 밤을 새우게 된 것이다. 이게 몇 번째인지 셀 수도 없다. 맨 처음 아이의 혈변과 혈토를 보았을 때만 생각하면 정말이지 내가 대신 아플 수만 있다면 그러고 싶은 정도였다. 그 작은아이 몸 어디에서 피가 나올 수 있는 걸까. 안 그래도 입이 짧아 잘 먹지 않아 통통해지지도 않던 시기라 더욱 애가 탔다. 24시 병원은 있지도 않던 동네였기에 다음날까지 꼬박 밤을 새우고 달려가면 막상 병원에서는 큰 처치가 필요하지는 않다고 했었다. 사람도 그러하듯 동물도 설사나 토를 하게 되면 균 검사를 제일 먼저 하게 되는데 눈에 띄는 균은 없고 아이는 아플 뿐이었다. 이런 상황이 한 달에 한, 두 번씩 몇 차례나 반복되다 보니 안타깝고 어찌해야 할지 몰라 발을 동동 구르던 나는 점점 아픔에 대해 무뎌지고 있었다. 아니다, 지쳐간단 표현이 더욱 정확할까. 동물병원 선생님도 내게 너무 자주 온다고 말씀하셨다. 라온이는 원체 장이 약한 아이니, 병원 약이나 주사가 아닌, 일상생활에서 장에 도움이 될 수 있는 영양제나 식단을 먹여야 한다고 했다. 어미에게서 언을 수 있는 영양소가 결핍되어 그런 것일 수 있으니, 앞으론 사람이 챙겨야지요. 라며 처치실로 들어가는 의사 선생님. 그 뒷모습과 품에 안겨있는 라온이를 번갈아 보다 보면 안쓰러움 반, 앞으로 어떻게 돌봐야 하는 걸까 막막함이 반 채워진다. 누구에게나 처음은 있다지만 막상 닥쳐보니 생각보다 준비되지 않은 처음이었기에 당황스러웠다. 이렇게 반복적으로 병원에 다니다보니 원래 이렇게 아기강아지는 자주 아픈가? 싶었다. 게다가 아이러니하게도 동물병원이 편안하게 느껴지기까지 한 것이다. 간호사 선생님과 의사 선생님을 보면 반갑다고 희뇨를 발사하는 라온이는 두말할 것도 없다. 하지만 당시에는 크게 생각하는 것이 아닌, 사람도 병원에 자주 가니까 강아지도 많이 갈 것이라고 생각이 흘러갔던 것 같다. 주변에 강아지를 반려해 본 경험이 있는 지인이 있지도 않았을뿐더러 포털사이트에 이런저런 키워드로 검색해 봐도 정보가 많지 않았기 때문에 얻을 수 있는 정보는 한정적이었다. 아마 그 시절 첫 강아지를 반려해 보신 분들이라면 공감하실 수 있을 것이라 생각한다. 그렇게 아무것도 몰라서 다행이던 초보 개엄마 시절이 지나가고 있었다.

너로 인해 시작한 공부

　엄마 아빠의 애간장을 태우며 라온이는 그렇게 한 살을 넘겼다. 그마저도 괜찮아지나 싶었지만 환절기를 맞으며 피부, 특히 귀에 피부염이 생기곤 했다. 게다가 라온이는 다른 강아지들보다도 피지선을 따라 피지낭종이 자주 생기곤 했다. 사람으로 보면 여드름같이 강아지도 피부에 각질이나 피지가 쌓여 피지낭종이라는 염증이 생기곤 한다. 하지만 라온이는 목욕도 게을리 하지 않고 빗질도 매일 하는데 유독 피부에 염증이 많이 생기곤 했다. 게다가 첫 전체 정기검진에서는 슬개골 탈구 3기라는 충격적인 결과까지 듣게 되었다. 여기서 슬개골 탈구란, 슬개골 주변 관절이 비정상적으로 덜 형성되어 슬개골이 무릎 관절에 제대로 고정되지 않고 이탈하는 상태를 의미한다. 아무리 푸들이 관절이 약하다지만 세상에 나와 얼마 뛰어보지도 못했는데 슬개골 탈구 3기라는 건 선천적으로 슬개골 이형성이 있었다는 이야기였다. 슬개골 탈구는 1기부터 4기까지 차례로 안좋은 상태를 뜻하며, 4기가 되면 원만한 보행이 어려울 수 있다. 그런데, 이제 한 살 갓 넘긴 라온이가 슬개골 탈구 3기라니? 정말 막막했다. 살아갈 날이 15년인데 땅에 발붙이고 산지 1년여 만에 편히 못 걸을 수도 있다는 진단은 절망적이었다. 젓가락처럼 가느다란 다리와 관절을 한참을 어루만지며 내가 너에게 해 줄 수 있는 것이 무엇이 있을까 되뇌었던 것 같다.

　이제와 생각해보면 대체 이 작은 강아지들이 몇 대에 걸쳐 그 구멍

숭숭 뚫린 뜬 장에 갇혀있었을지 가늠할 수 없는 대목이다. 펫샵으로 오기 전, 모견이 머무르고 강아지들이 태어나는 공간인 속칭 '강아지 공장'. 이 곳에서 충분한 영양분도 공급받지 못하고 바른 땅을 밟아보지 못한게 얼마나 오래되었으면 태어나는 강아지마다 건강에 문제가 있을 수 있는 걸까. 사실 모든 반려견들은 피지낭종이나 피부염, 관절 문제들을 환경이나 섭취하는 음식에 따라 발병이 되기도 하고 치료를 하기도 한다. 하지만 여기서 특별히 라온이의 질병들을 언급하고 있는 이유는 한 살의 라온이를 반려하고 있는 이 당시에는 꿈에도 상상 못 한 사슬처럼 얽혀있는 선천적인 라온이의 건강 상황 때문이다. 장이 약해 고생했더니 이젠 피부와 관절까지 문제란다. 라온이가 아픈 상황에 점차적으로 익숙해지는 내 자신이 혐오스러워지기 전에, 왜 이 아이가 이렇게 아파야만 했고 왜 병원에서조차 약물치료보다 홈케어에 집중하라고 하는지 내가 자발적으로 알아내야만 했다. 그렇게 시작한 정보 모으기는 블로그, 카페, 유튜브를 넘어 인스타그램 등 다양한 매체들로 시작하여 해외 논문들까지 찾아보게 되었다. 간단하게 접할 수 있는 SNS를 통해 나와 비슷한 처지의 보호자들은 어떻게 반려하고 있는가를 찾아봤다. 기본적인 상식을 알고 나니 더욱 구체적인 프로세스가 궁금해졌다. 우리나라의 반려동물 시스템, 나아가 해외의 반려동물 시스템과 강아지들의 영양학이나 운동방법까지 아우르는 항목들을 점차적으로 넓혀나갔다. 학업과 일을 병행하다보니 이른 아침이나 새벽의 자투리 시간을 사용하게 되었었다. 내가 학생 때 이렇게 공부했으면 서울대를 갔겠다 싶을 정도였으니 어느정도인지 대략적으로 감이 잡히실 것이라 생각한다. 다니던 동물병원 수의사님께서도 영양학에서는 저보다 많은 지식을 가지고 계신 것 같은데요? 라는 칭찬 아닌 칭찬을 듣기도 했다. 그렇게 강아지의 건강에 대해 공부하다보니 자연스레 현재 라온이의 질병뿐만 아니라 반려동물들의 질병이나 정보라는 큰 틀에 대해서도 관심이 생기게 되었다. 왜냐하면 SNS는 반려동물을 양육하는데 필요한 정보뿐만 아니라 아픈 반려동물이나 좋지 않은 환경에 놓인 유기동물들에 대한 내용들도 가득했기 때문이다. 라온이를 키우며 반려동물에 대해 알아가기 시작한 이 시점에 나는 운이 좋은것인지 본격적으로 동물권을 수호하기 위한 단체가 생겨났고, 해외의 반려동물 법안과 매너사례들이 국내에 알려지기 시작했다. 매체나 SNS가 점차적으로 발달함에 따라 이전에는 널리 알려지지 못했던 정보들이 세상 밖으로 나오기 시작한 것이었다. 그렇게 접한 내용들 중 가장 충격받았던 영상이 있다. 한 번쯤은 다들 보셨으리라 생각한다. 조그마한 철장 안에 무자비하게 넣어진 열댓마리의 강아지, 무리한 새끼빼기로 얻은 종양들로 제대로 걷지도 못하는 모견들. 심지어는 폐사한 강아지들을 냉동고에 넣어두는 상상치도 못했던 반려동물 분양 생태계의 어두운 이면이었다. 그 와중에 사람을 보고 좋다고 꼬리 흔드는 강아지가 있다는 것이 가슴을 더욱 미어지게 만들었다. 이 사건들 이후로 국내 불법 번식장에서 소위 말하는 도매가로 강아지를 낙찰 받아오는 펫샵까지의 무자비함을 알게 되었다. 기본적인 위생적인 환경이 갖춰지지 않은 상태의 번식장과 몇 대에 걸쳐 좋지 못한 몸 상태로 새끼를 낳아야만 하는 사람에 의해 만들어진 그러한 무자비함 말이다. 꼭 이럴 수밖에 없는 걸까? 라는 의문에 해외의 사례를 찾아보게 되었다. 해외의 브리더도 마찬가지로 사람이 만들어가는 분양 생태계이긴 하다. 다만 순전히 판매를 위한 것이 아닌 종 보존, 더 나아가 건강한 종 보존을 위해서 사람과 동물이 공생하는 관계에 있다는 것이 국내와의 큰 차이점이 아닐까 싶다. 이렇게 라온이를 위해 시작한 공부는 라온이와의 첫 만남이 온전치 못 한 만남이었다고 살벌하게 꼬집고 있었다. 내가 얼마나 무지했고, 나의 무지함이 조금이라도 세상에 좋지 못한 영향력을 행사한 것만 같아 물먹은 솜 마냥 마음은 끝도 없이 무거워져만 갔다.

처음 마주한 '만약의 미래'

여느날처럼 라온이의 봉실봉실하고 꼬불한 털을 깨끗하게 유지하기 위해 미용실에 맡긴 뒤 데리러 갔었다. 라온이 미용 담당 선생님은 항상 미용이나 목욕이 끝나면 라온이의 피부 상태에 대해 설명해주곤 하셨는데 그날따라 팔꿈치 부근에 좁쌀만한 뾰루지가 눈에 띄었다고 하셨다. 혹시 모르니 병원에 다녀오시는 것이 좋을 것 같다는 말도 덧붙여주셨다. 아주 작고, 눌러봤을 때 라온이는 특별히 아파하지 않았다. 겉 피부 표면으로 올라와있는 낭종이라 조금 더 지켜볼까 하다가 집 근처 동물병원으로 내달렸다. 다들 그렇지 않을까? 처음 제대로 키워보는 아이인데다 자주 아팠기 때문에 예민하게 반응하는 것은 당연한 일이었다. 그래도 그 사이 인터넷으로 이것저것 찾아봤다고 스스로 판단하는 내 스스로에게 웃음이 났다. 뭘 안다고 그걸 판단하고 앉았을까.

진료가 끝나고 선생님께서는 아직 뾰루지가 너무 작아 검사가 불가하니 4개월에서 5개월 정도는 지켜보고 혹시나 더 커지면 그 때 확인을 해보자고 하셨다. 바로 확인해보지 않아도 괜찮은건지 불안했다. 혹시나 치료시기가 늦어지는건 아닌가 걱정하는 내 생각을 읽기라도 한 듯 의사선생님은 커지지 않는다면 다른 뾰루지들처럼 피지낭종일 테니 너무 걱정 말라는 말씀도 덧붙여주셨다. 그럼에도 불구하고 불안이라는 벌레는 내 마음을 좀먹기 시작했지만 아직 검사가 불가하다고 하시니 돌아올 수 밖에 없었다.

그렇게 몇 개월 뒤, 라온이 팔에 뭐가 있었나? 생각도 흐릿해질 즈음 좁쌀만하던 그것은 어느샌가 쌀알만하게 커져있었고, 다시 방문한 병원에선 약식 검사인 세침검사로 비만세포종이 의심되며 더욱 정밀한 검사를 위해 CT를 찍어야한다고 하셨다. 심장이 덜컹거렸다. 내 기억의 CT는 큰 병이 의심될 때 찍는 것이라고 새겨져있기 때문이다. 게다가 당시까지만 해도 약식검사로 나온 결과에 내가 겁을 먹을 것 같았는지 비만세포종이 무엇인지 정확하게 안내해주시지는 않았다. 대략적으로 비만세포종일 경우 절제해야한다 정도만 알 수 있었다. 때문에 나는 병에 대한 두려움과 함께 CT 촬영에 대한 불안감까지 떠안았다. 5kg 아령보다도 작은 3kg의 아이가 2주만에 몸에 무리가 되는 마취를 연속으로 두 번 감내해야 하는 건 너무나 큰 부담이라고 생각했기 때문이다. 손까지 바들바들 떨려왔지만 섣불리 결정을 내릴 수 없었다. 한참을 곰곰이 생각한 끝에 우선 CT를 찍기 전 해당 지역에서 영상자료판독을 가장 잘 한다는 동물병원을 수소문하기로 마음 먹었다. 사실 비겁하게도 나는 라온이가 큰 병이 생겼을 것이라 생각하고 싶지 않았던 것일 수도 있다. 내 옆에서 아파하는 모습을 보고 싶지 않은 이기적인 마음을 가진 채 다음날 새롭게 찾은 병원에서 검사를 다시 진행하게 되었다. 하지만 결과는 이변 없이 그대로 비만세포종이었다. 제발 아니어라, 자기 전 믿은 적 없던 세상 모든 신에게 빌었던 기도가 무색하게도 말이다. 결과가 나오기 전까지 불안함에 두근거리던 심장은 차게 식어버렸다. 내 마음을 아는지 모르는지 라온이는 의사선생님이 좋다며 할짝거리고 있다. 저렇게 멀쩡한데, 대체 어디가 아프다는 얘기일까. 숨이 막혀왔다.

우선 비만세포종이 무엇인지 모르시는 분들이 많을 것이다. 나도 그랬다. 처음엔 비만? 뚱뚱해서 생기는 종양인가 싶었었다. 이 비만세포종, 특히 강아지 비만세포종은 다른 장기에 전이가 될 수 있는 악성 종양이다. 그래서 외과적으로 종양의 절제는 필수이고 이후 그 종양을 조직검사해서 절제가 완전하게 되었는지 확인 후 후치료가 필요하다. 사람으로 치면 암의 기수와 같은 말인 등급(grade)이 어느 정도인지 알고 완전 절제가 가능한 단계인지 확인하거나 추가적인 항암치료가 필요한지 확인해야 하는 것이다. 이 내용을 들은 나는 마치 뭐에 얻어맞은 듯 머리가 멍했었던 것 같다. 사실 듣고 나서 무슨 생각을 했었는지 아직도 정확하게 기억나지 않는다. 방어기제인걸까? 하지만 몸은 그날의 기억을 알고 있다는 듯 글을 쓰는 이 순간에도 가슴은 울렁거리고 저 바닥까지 무언가가 끌어내리는 듯 불안해진다. 정신 차리지 못하던 그 순간에 나를 담담히 쳐다보고 있던 의사선생님은 우선 보호자가 정신을 차려야 한다며 들을 수 있겠냐고 차분히 물어봐주셨다.

"현재 라온이 팔에 있는 종양 위치를 보시면, 사람으로 따지면 가장 얇은 이 부분과 흡사한 곳에 위치해 있다고 보시면 됩니다."

내 팔꿈치 부근을 콕콕 두드리시며 원장님께서는 차근히 설명해주시기 시작했다.

"이 비만세포종이라는 것은, 종양을 중심으로 근처 퍼져있는 부위를 얼마나 많이 절제해낼 수 있느냐에 따라 재발 확률이나 수술 예후가 좋아질지 조직검사 결과가 나오기 전에 대략적으로 예측이 가능하다고 보시면 됩니다. 하지만 라온이는 이렇게 가장 얇은, 팔꿈치 부분이기 때문에 절제할 수 있는 부위가 넓지 않아요. 이런경우에는......"

경우에는?
뒷 이야기를 다 듣기도 전에 온몸에 불안감이 엄습했다.

"퍼져있는 조직을 전부 절제할 수 없을 경우 다리 하나를 잘라내야 할 수도 있습니다."
다리를 자른다고? 이 작은 아이의 다리를? 이미 어떤 종양인지 폭격을 맞은 뒤라서 그럴까, 선생님 말씀에 눈물조차 흐르지 않았다. 검사를 위해 온 몸을 빡빡 민 라온이를 쳐다보았다. 바들바들 떨며 눈물을 한가득 달고 나를 쳐다보는 라온이의 눈망울은 마치 나를 대신해 우는 것만 같았다.

"그리고.. 최악의 상황도 함께 말씀드리게 되어 죄송하지만,
검사 후 조직 상태에 따라 절제 이후 재발 시 1년 이내에 사망에 이를 수 있는 점......"
귓바퀴를 타고 울려 퍼지는 선생님의 목소리를 따라 펄떡펄떡 내 심장도 어찌할 바를 모르겠다 날뛰고 있었다.

"우선 살려만 주세요 선생님. 부탁드립니다."

깊게 숙인 머리 위로 날 가만히 쳐다보던 선생님은 최선을 다할 테니 믿어보라 하셨다. 정작 듣는 내게는 닿지 못한 선생님의 말씀은 공중에서 산산이 부서져 갔다.

나는 이 아이가 없는 세상을 상상 해 본적이 없다. 평소처럼 목욕을 마치고 나온 아이를 받아들였을 뿐이고 아주 작은 뾰루지가 생겼다는 이야기를 전달받았을 뿐인데 어느샌가 보니 네가 없을 수도 있는 만약의 미래를 설핏 내다봐야만 했다. 일상생활을 하면서도 검사 결과 전화를 기다리며 울리지 않는 핸드폰만 하염없이 바라보곤 했다. 그렇게 한 번을 울리지 않는 핸드폰을 괜히 원망하던 시간이 지나고 병원 이름이 적힌 착신 화면을 마주하게 되니 그리도 받기 싫어지는건 무슨 변덕일까. grade 2라는 말씀과 함께 내원해주시라는 연락에 전화를 끊고 한참을 울었던 것 같다. grade 2가 어떤 등급인지 모르는 상태에서 오는 공포는 한 걸음 내딛을 다리의 힘조차 앗아갔다. 나도 모르는 새 2년 남짓, 라온이와 함께한 그 시간들은 하나 둘 모여 떼어낼 수 없는 내 삶의 일부로 안착해있었던 것이다. 왜 이런 시련이 이 아이에게는 자꾸 찾아올까, 왜 내 소중한 작은 가족이 아파야할까 의문이 가득했다. 이 의문을 조금이라도 해소하기 위해 조직검사를 보낸 뒤 결과를 기다리며 질병에 대해 검색해보게 되었다. 우선 이 종양은 정확한 원인이 없다. 병원에서도, 찾아본 모든 논문에서도 이러한 이유 때문이다. 라고 원인을 정확하게 알려주지는 못했다. 다만 라온이는 앞서 적었듯 피부에 종양이 잘 생기는 그런 체질을 가진 아이 중 하나였고, 비만세포종의 불명확한 원인 중 하나인 선천적인 유형 중 하나이지 않을까 지레짐작만 할 수 있을 뿐이었다. 꼬리표처럼 따라붙는 이 선천적인 요인이라는 말은 질리지도 않는지 계속해서 라온이와 나의 뒤를 쫓아다녔고 질병이라는 이름으로 끊임없이 괴롭혔다. 우리를 괴롭히는 이 요인들을 나는 없애야만 했다. 그래야만 앞으로 라온이와 내가 행복할 수 있기 때문이었다. 라온이의 마지막 수술이었던 비만세포종 수술은 이러한 선천적인 요인들을 줄여나가기 위해서 무엇을 해야할까 더욱 깊이 고민하는 계기가 되었다.

소비자가 아닌 보호자

6살 라온이는 아직까지도 질병과의 싸움중이다. 다만 비만세포종은 다행히도 빠르게 발견한 덕에 최소 절제로 다른 곳에 전이 없이 깨끗하게 제거되었다. 절제 후 1년이 지난 시점에도 재발하지 않아 완치라는 선물을 받을 수 있었다. 하지만 아직도 몸에 뾰루지가 올라오면 바로 병원으로 달려가는 불안한 상황이 때때로 발생되고 있긴 하다. 슬개골 탈구 또한 죽기 전까지 케어해야하는 질환으로 경과와 수술시기 등 담당 원장님과 주기적으로 추적관찰을 진행 중이다. 어떻게 이 힘든 시기들을 견뎌낼 수 있을까 생각될 정도로 최악의 상황이었다. 이러한 나의 걱정은 별 일 아니라는 듯 씩씩하게 잘 이겨내 준 라온이는 현재 네 다리로 마음껏 뛰놀며 맛있는 식사를 하고 제일 좋아하는 장난감을 가지고 논다. 마치 건강하게만 옆에 있어달라는 내 염원을 들어주는 것처럼 지금은 이전과 비교할 수 없는 건강한 몸으로 든든히 내 옆을 지켜주고 있다.

이렇듯 반려동물 생태계의 어두운 이면을 접할 수 있는 것은 질병뿐만이 아니다. 펫샵에서 강아지를 '소비'하고 함께하길 시작한 보호자들 중 몇몇은 라온이와 비슷한 행동을 하는 아이를 한 번쯤은 봤을 것이다. 바로 서글픈 하울링이다. 일상적인 상황에서가 아닌, 자다가 문득 고개를 들고 서글픈 표정으로 갑자기 하울링을 몇 번 하는 경우가 있다. 자신이 하울링을 하고 있는지조차 인지하지 못한 것처럼 멍한 눈으로 되풀이하는 하울링. 라온이는 내가 몇 번을 이름 부르고 앞으로 가 앉아서 쓰다듬어 줘야지만 초점이 돌아오곤 했었다. 그 모습을 보면 내 아픔을 위해 이 아이에게 대신 그 아픔을 이겨내 달라고 강요한 것 같아 막아지지 않는 울음이 나올 때가 있다. 작은 아이의 아픔을 이용한 것 만 같아 울렁거림이 멈추지 않을 때면 현재 내가 할 수 있는 일, 앞으로 내가 해낼 수 있는 일들을 생각해보게 된다. 우선 이미 벌어진 일을 수습하고 케어하는데 코 묻은 손이라도 내밀어보자 싶어 유기견 보호소에 물품후원을 정기적으로 진행하게 되었다. 국제 강아지의 날이나 라온이의 생일, 어린이날 등 힘이 닿는 데 까지 물품후원을 이어나가고 있다. 예전에는 하나라도 내 아이에게 더 해주려 했었는데 이젠 세상의 모든 반려동물이 행복하길 바라는 마음이 크다. 내 아이가 소중한 만큼 다른 아이들도 소중하다는 인지를 왜 그 땐 하지 못했을까. 안정적으로 자리를 잡으면 봉사자를 구하는 단체에도 지원해 나가보려 한다. 이제까지는 바쁘다는 이유로 외면해왔던 아픔의 현장을 직접 마주하고 해소하려한다. 이외에도 해외로의 이동봉사 등 차근히 해낼 수 있는 일들을 생각하고 실천해보고자 한다. 근래에는 기업들이 주체적으로 진행하는 다양한 프로그램과 캠페인들을 어렵지 않게 찾아볼 수 있다. 이러한 캠페인에도 함께 참여하고 공유하며 이에 그치지 않고 개인적으로 발행해내는 컨텐츠들도 반려동물과의 동행에 있어 어떤 내용이 중요하게 다뤄져야 하는지를 먼저 생각하고 써나가게 될 것 같다. 현재와 같이 반려동물을 소비하는 구조가 무너지지 않는다면 반려견과 보호자가 함께 아파야만 하는 상황은 지속될 것이다. 개인인 '나' 하나가 낼 수 있는 목소리는 한계가 있고, 단체나 제도도 탄탄하지 않다. 하지만 이런 미약한 도움의 손길이라도 필요한 곳이 있고 나 하나가 모여 큰 집단이 될 수 있다면 포기하지 않고 노력해 나갈 것이다. 멀리까지 보지 않아도 바로 나의 옆, 작은 아이와 나의 행복과 건강을 위하여 말이다. 이제 과거의 무지했던 나는 없다. 좁은 아크릴 케이지 안의 아이들이 마냥 귀엽게 보이지 않으며, 버려진 아이들이 어디선가 잘 살아가고 있을 것이라 생각하지 않는다. 뼈아프게 새겨진 현실은 비로소 현장을 직시하게 만들어 주었다. 나와 같이 소중한 존재를 아끼고 사랑하는 사람들이 하나 둘 모여 간다면 그게 바로 내가 원했던 세상이지 않을까, 감히 상상해본다.

아득한 기억 너머 그대를 추억하며

김아림

김아림   현재를 소중히 여기며 매일 다른 행복을 만들어가고 싶습니다
과거를 돌아보며 후회하지 않기 위해선 필요한게 무엇일지 고민해보게
됩니다
가벼워진 마음으로 미래를 향해 힘찬 날갯짓을 멈추지 않으려 글을 쓰
기 시작했습니다
이루지 못한 꿈을 마음껏 펼치는 내일을 맞이하려 합니다

엘리베이터에서 내리자마자 걸음을 재촉해 사무실에 도착했다. 어제 잠을 설친 탓에 빠른 걸음만으로 콧잔등에 송골송골 땀이 맺힌다. 내가 일하고 있는 사무실은 복도 끝에 있어 아직도 한참 걸어가야만 한다. 걸음을 재촉하며 시계를 확인하니 지각은 아니었다. 안도의 한숨을 내쉬고 나니 돌덩이를 얹어 놓은 듯 머리가 무겁다. 휴게실을 지나 사무실로 들어가는 길에 누군가가 눈에 들어왔다. 대학 동창이자 같은 회사 동료인 주희가 커피를 마시며 여유롭게 앉아있다. 생각해보니 어제 미처 끝내지 못한 밀린 업무가 떠올랐다. 자리에 앉자마자 플래너를 펼쳤다. 오늘 해야 할 일이 빽빽하게 적힌 일정을 보니 골치가 아파진다. 아까 무거웠던 머리가 아예 땅으로 추락하는 느낌이다. 하루 종일 일에 시달릴 텐데 커피도 한 잔 못 마시다니 살짝 억울한 마음이 든다. 몸은 이미 사무실 의자를 벗어나 휴게실로 가고 있다. 하지만 마음은 요동치는 바다처럼 아직도 평온을 되찾지 못했다. 휴게실에 들어서자 벌써 절반의 사람들은 사무실로 들어가고 아직 남은 무리가 대화에 열중하고 있다. 좀 더 조용한 곳으로 가서 통화를 해봐야

겠다. 주머니 속 전화기를 꺼내 들며 복도 쪽으로 다시 나왔다. 단축번호를 꾹 누른 뒤 떨리는 마음으로 손을 꽉 쥐고 있었다. 신호음은 이어지지만 그는 끝내 전화를 받지 않는다. 짧게라도 통화를 해야만 맘 편히 남은 시간을 보낼 수 있을 듯 하다.

사무실 벽에 걸린 큰 시계를 보니 더는 지체할 수 없다. 자리에 앉아 업무에 집중하려 해보았지만 도저히 눈에 들어오지 않는다. 같은 팀원들에게 메신저로 잠깐 자리를 비운다는 짧은 말을 남기고 일어났다. 다행인 건 사무실과 집은 가까운 거리에 있다는 것이다. 얼른 다녀온 뒤 자리에 앉으면 티가 나진 않겠다 생각이 들었다. 집에 도착해 그가 잘 있는지 출근은 잘했는지 확인해야 마음이 놓일 것 같다. 엘리베이터 앞에서 아래층 방향으로 표시된 버튼을 여러 번 눌렀다. 왜 이리 숫자는 더디게 바뀌는 걸까. 오늘따라 유난히 더 속도가 느린 것만 같다. 동영상을 몇 배나 느리게 재생한 듯 서서히 열리는 문 안으로 황급히 몸을 날리듯 들어선 뒤 서둘러 버튼을 눌렀다.

3년전 현수를 처음만난 날이 떠오른다.그 날도 휴일이라 로비엔 많은 사람들로 북적였다. 나는 기다리던 엘리베이터가 오지 않아 첫 만남에 시간약속을 어기고 말았다. 혹시라도 시간이 늦어서 그 사람이 먼저 가버렸을지 가슴이 두근거렸다. 주희가 주선했던 소개팅에 나온 그는 댄스 동호회에서 그녀와 만나 친해졌다고 했다. 그녀는 만날 때마다 친하다는 오빠 얘기를 꺼내왔지만 크게 관심을 두지 않았다. 그런데 그녀는 둘이 정말 잘 어울릴 것 같다며 꼭 만나보라고 했다. 주희에게 시간 되면 한 번 보겠다며 그저 지나가는 말로 얘기했다. 그런데 며칠 뒤 주말에 약속을 잡아놓았으니 나가보라고 말하는 게 아닌가. 나는 그녀에게 한마디 상의도 없이 정했냐며 툴툴거릴 수도 있었지만 말을 아꼈다. 하지만 전혀 기대감도 없었기에 외모에 신경을 쓰지도 않고 나갔었다. 그가 첫 만남에 한껏 꾸미고 나왔을 상대방을 기대했다면 실망했을지도 모른다. 나의 솔직한 모습에 오히려 현수는 더 깊은 호감을 느꼈다고 했다. 그는 섬세하고 친절하지만 너무 가식적이지 않았다. 진심으로 나를 배려해 준다는 느낌이 들었다. 마치 오랫동안 알던 사람을 만난 것처럼 우린 서로 좋아하는 음식과 운동 등을 얘기하며 꽤 비슷한 점이 많다는 생각이 들었다. 시간이 어떻게 흘렀는지 모른 채 깊은 밤이 되어서야 자리에서 일어나 지하철역으로 가서 헤어졌다.

활발하지만 덤벙대고 따지기 좋아하는 내가 꼼꼼하고 다정한 성격의 그와 연인이 되기까지는 그리 오랜 시간이 걸리지 않았다. 그렇게 2년의 시간을 보내면서 한결같이 따뜻한 미소로 나를 바라봐주며 행복을 알게 해준 그에게 조금씩 마음이 기울어가고 있었다. 한번은 출퇴근 길 지하철 안의 일을 말한 적이 있었다. 나는 지나치게 사람이 많은 탓에 손잡이를 잡기도 어려워 넘어질 뻔 했는데 그 날을 생각하면 아직도 눈앞이 아찔해진다. 그는 내가 한 말을 기억하고 퇴근 후 매일 나를 데리러 왔다. 오늘은 부서 회식이 있는 날이다. 나는 미안한 마음에 먼저 집으로 들어가라는 메시지를 그에게 보냈다. 자정이 다 되어

가는 시간 서둘러 집으로 가려고 휴대전화를 꺼내 택시호출앱을 누르는 중이었다. 그런데 뒤에서 빵빵 클락션을 누르는 소리가 들렸다. 누굴까 돌아보니 익숙한 번호판이 눈에 들어왔다. 집에 가는 길이 위험할까봐 눈 빠지게 기다렸다며 배시시 웃어보이는 그를 보며 차에 올라탔다. 그는 나를 위해 자신의 편안함도 포기하고 기꺼이 지루한 기다림의 시간을 참아낸 것이다. 나를 아껴주고 진심으로 사랑해준다면 어떤 어려움이 있어도 그와 평생을 함께 하리라 결심했다. 우리는 추운 겨울에 결혼했고 따뜻한 섬나라로 신혼여행을 떠났다. 그렇게 영원히 행복한 미래만이 계속되리라 믿었다.

그런데 결혼 후 현실의 우리는 크고 작은 일로 자주 다투었다. 사실 어젯밤 그와 나는 돈 문제로 다투었다. 3년 전 우리는 결혼을 약속하며 양가에 공평하게 용돈을 드리도록 이야기를 나누었다. 현수는 평소에 감성적이고 배려심이 많았기에 자신의 의견을 내기보다는 나에게 맞춰주는 편이었다. 그런데 남편은 다른 형제들도 있는데 아버지가 아프시자 병원비와 다른 부대비용을 내겠다고 목소리를 높이는 것이 아닌가. 실속 없이 혼자 모든 것을 감당하려는 그의 태도가 못마땅한 나는 계속 같은 말을 반복하고 있었다. 째깍째깍 시계소리가 유달리 크게 거실을 가득 채우고 있었다. 한마디도 지지 않으려고 연이어 말을 쏟아내다 보니 이젠 버틸 힘이 없다 느꼈다. 시계를 보니 벌써 자정을 향해 가고 있었다. 다정하고 친절했던 그의 모습은 사라졌다. 차갑고 냉정한 눈빛의 다른 사람이 집에 온 것 같았다. 입술을 깨물고 새어나오려는 눈물을 애써 참았다. 슬그머니 안방으로 들어가 베개와 이불을 챙겨 건너편 방으로 들어갔다. 이불을 펴고 누울 때까지만 해도 그가 와주기를 바라고 있었다. 공기를 가득 채운 풍선처럼 부풀었던 마음으로 문 가까이에서 귀를 대고 기다렸지만 아무 일도 일어나지 않았다. 시간을 보니 얼른 자야할 것 같아 억지로 눈을 감고 잠을 청했다. 창밖의 환한 햇살이 창문을 통해 따뜻한 미소를 보내고 알람소리가 반복적으로 귓가를 맴돌고 있다. 하지만 이대로 눈을 감은 채 더 잠들고 싶을 뿐이다. 몇 번이나 뒤척이다 휴대전화의 시간을 확인하고 화들짝 놀라 겨우 몸을 일으켰다. 서둘러 출근준비를 하기 위해 옷방으로 갔고 무엇을 입었는지 기억도 나지 않았다. 지금은 요동치는 파도처럼 심장이 마구 뛰고 있다.침착해야지 다짐하며 떨리는 손으로 비밀번호를 눌렀다. 문을 열면서도 두 눈은 이미 집안을 향해 움직이고 있었다. 거실에 보이는 그를 바라보는 순간 온몸에 기운이 빠지며 주저앉고 말았다. 손을 만져보니 차갑게 식어있었다. 코 밑으로 손을 대보니 가늘게 호흡을 이어가고 있다. 머릿속이 하얗게 내린 눈으로 뒤덮인 듯 아무것도 떠오르지 않았다. 이마에서는 땀이 비 오듯 흐르고 입술이 파르르 떨리기 시작했다. 캄캄한 어둠 속을 혼자 걷는 듯 앞이 보이지 않는다. 간신히 떨리는 마음을 진정시키며 휴대전화를 꺼내들었다. 긴급전화를 누르고 신호가 몇 차례 가자 상담원이 전화를 받았다.난 힘없는 목소리로 남편이 쓰러졌다고 말했다. 이 짧은 몇마디 말을 내뱉으니 숨이 가빠지기 시작했고 길을 잃은 아이처럼 어찌해야 할 바를 몰랐다. 나는 통화를 끝낸 뒤 거실의 시계와 휴대전화의 시간을 번갈아 보고 있다. 바깥에서 들려오는 작은 소리라도 놓칠새라 귀를 쫑긋 세운다. 바짝 마른 입술을 달싹이며 두손을 모았다 폈다 반복하고 있다. 드디어 땡 하고 엘리베이터의 신호음이 울리자 반사적으로 몸을 일으켜 문을 열었다.수십년의 시간이 흐른 듯 마음이 한없이 죄어들었다. 들것과 함께 구급대원들의 분주한 움직임이 시작되었다. 지갑과 휴대전화를 들고 쏜살같이 뛰어 그들과 함께 구급차로 향했다. 침대에 누워있는 그를 보자 모든 것이 하얗게 변해 초점이 맞지 않는 듯 흐릿하게 보였다. 휴대전화를 보니 주희와 같은 팀 사람들의 부재중 통화가 와 있었다. 하지만 상황을 설명할 여유가 없어 자동문장 완성으로 엉성하게 메시지를 보내고 말았다.

병원에 도착하자 긴급하게 움직이는 의료진을 보며 짧은 한숨을 내뱉었다 창밖에서 바라보니 중환자실에 누워있는 그는 잠을 자는 듯 평온한 얼굴이다. 병상 옆에 그와 마주하며 지난밤의 일들을 떠올리니 다시금 몸이 떨려온다. 서서히 눈꺼풀이 무거워지며 눈을 감고 싶지만 잠을 이룰 수 없다. 의료진들이 오고가는 소리와 기계음 그리고 병실로 새어나오는 불빛까지 모든 것이 낯설다. 무거운 돌덩이로 짓누르는 듯 마음이 한없이 가라앉는 순간이다. 뜬 눈으로 밤을 지새우고 생각하니 가족들에게 이 사실을 알려야겠다고 마음먹었다. 친정과 시댁 가족들에게 메시지로 간단히 상황을 알리고 연락을 기다렸다. 제일 먼저 전화를 걸어 준 사람은 시동생 현준이었다. 형과는 각별히 친했고 나에게도 다정히 대해주었던 그는 면회시간에 맞추어 병원으로 와주겠다고 했다. 필요한 게 있으면 알려달라는 말이 귓가를 맴돈다. 통화를 마치자 코끝이 찡해지며 눈가도 뜨거워졌다. 붉어진 두 눈에 흐르는 눈물을 손으로 닦아냈다. 입을 꽉 다문채 휴게실로 향했다. 그 곳에서 마음을 달래고 화장실에 가 찬물로 슬픔을 씻어냈다. 애써 괜찮은 척 표정을 연습해보았다. 병실 앞엔 현준이 와 있었다. 그는 걱정스런 표정으로 말을 건넨다. "의사 선생님께 들었는데 갑자기 혈압이 높아져 쓰러졌다면서요. 휴, 갑작스레 이런 일이 생기다니 당황스럽네요." 한참 동안 얘기를 나눈뒤 그는 집으로 어서 가라며 계속 등을 떠민다. 밤 사이 어떤 일이 일어날지 모르니 형의 곁에 남아있겠다고 고집을 부렸지만 결국 내가 패자가 되고 말았다. 남편을 남겨두고 돌아서는데 쉽게 발이 떨어지지 않았다.

엘리베이터가 15층을 알리는 숫자를 보이고 문이 열렸다. 비밀번호를 누르고 현관문을 열자 차가운 기운이 얼굴을 스친다. 여기는 서로를 바라보기만 해도 웃음이 끊이지 않던 곳이었다. 하지만 지금은 모든 것이 사라진 황량한 들판에 서 있는 듯하다. 처음 집을 꾸미고 가구를 들이면서 행복했던 그 때가 떠오르자 조금씩 눈앞이 흐려지기 시작한다. 두 사람은 액자속에서 환하게 웃고 있다. 나는 그 모습을 보자 얼굴을 감싸쥔 뒤 이내 고개를 돌리고 말았다. 수도꼭지를 틀어놓은 듯 뜨거운 액체는 눈과 코를 타고 끝없이 흘러내린다. 시간이 흘러 깊은 밤이 찾아오자 무거워진 눈꺼풀이 스르르 밀려 내려왔다. 창 밖을 보니 어느새 환해져 있다. 끝없이 추락하는 비행기에 탑승한 듯 더 이상 희망은 없는걸까. 마음을 다잡지도 놓을수도 없었다.하지만 부지런히 몸을 움직여야 했다. 병원에서 필요한 물건들을 챙겨서 빨리 이곳을 벗어나고 싶은 마음뿐이다. 서둘러 신발을 신고 도망치듯 문을 닫아버렸다.주차장에 도착하고 차 문을 열었다.앞 좌석에 앉아 출발하려다 문득 멈칫했다. 다시 병원에 돌아갈 용기가 나지 않았다.한참동안 고장난 시계처럼 그대로 멈춰 있었다. 창 밖에는 활기차고 즐거운 사람들이 바쁘게 오고 간다.

  가방 속 휴대전화의 진동이 울리기 시작한다. 받으려 하자 바로 끊어지고 만다. 전화를 다시 걸기 위해 가방으로 가까이 갔다. 그런데 갑자기 호흡이 빨라지기 시작한다. 식은 땀이 흐르며 온몸이 돌덩이처럼 차갑게 굳어버렸다. 바깥공기를 쐬기 위해 창문을 내리려 하지만 몸이 말을 듣지 않는다. 얼마 전 한 영상에서 보았던 호흡법이 생각났다. '숨을 세 번 짧게 끊어 들이마시고 길게 한숨을 내쉰다' 이 호흡법은 갑자기 과하게 호흡이 빨라질 때 심호흡을 하며 가쁜 숨을 가라앉히는데 효과가 있다. 머릿속에서 장면을 재생하며 그대로 해보기로 했다.여러 번 반복해보니 차츰 가쁜 숨이 조금씩 돌아오기 시작한다. 운전해서 병원에 가기 보다는 택시가 안전할 것 같다. 차에서 내려짐을 들고 택시 앱을 눌렀다. 다행히 곧 차량번호가 화면에 뜬다. 서둘러 아파트 입구로 가 몸을 싣는다. 차 안에서 주희에게 휴직에 관한 절차를 알아봐달라고 메시지를 보냈다. 병원입구를 들어선 지금 머릿속은 엉켜버린 실타래와 같다. 거센 바람을 온몸으로 맞아가며 홀로 힘겹게 앞으로 향하고 있다.

어느덧 병실이 위치한 4층에 도착했다. 엘리베이터의 신호음이 귓가를 맴도는데 머리가 어지럽고 메스꺼워진다. 병실 밖에서 현준이 나를 기다리고 있었다. "의사선생님이 보자고 하시는데 얼른 가보세요." 그 말을 듣는 순간 끝이 없는 터널을 걷는 듯 눈앞이 캄캄해진다. 의사가 있다는 사무실이 점점 가까워지고 있다.

그 곳에 다가갈수록 식은땀이 나고 심장이 몸 밖을 뚫고 나갈 듯 주체하지 못하는 박동을 멈추지 않는다. 떨리는 손으로 노크를 한 뒤 한참동안 밖에서 서성였다. 들어오라는 의사의 말이 들리고 난 뒤 문을 열었다. 손에 땀이 흥건히 배어들어 손잡이를 돌리는데 몇 번이나 미끄러지고 말았다. 그는 의자를 가리키는 손짓으로 앉으라는 말을 대신한 듯 보였다. 뇌혈관 문제로 급하게 수술을 진행해야 하니 빨리 결정해야한다는 말을 듣게 된다. 목소리를 가다듬으며 애써 침착하려 했지만 서서히 떨리다가 곧 울부짖음으로 변해갔다. 의사는 크게 대수롭지 않은 일이라는 듯 용건이 끝났으니 나가도 좋다는 짧은 말을 남기며 밖으로 향한다. 나는 앙상한 나무가 바람에 흔들리듯 일어나며 비틀거렸다. 간신히 균형을 잡고 일어나 사무실을 빠져나왔다. 병실 앞으로 돌아와 중환자실 밖에서 기다리던 현준을 보며 수술에 관한 이야기를 꺼냈다. 우리는 말없이 서로를 바라본다. 나는 남편이 쓰러지기 전 모진 말로 그를 몰아세웠다. 내 감정만 앞세웠던 이기적인 내 모습이 한없이 원망스러워진다. 나는 무거운 짐을 짊어진 듯 어깨를 누르는 중압감에 털썩 주저앉았다 . 휴게실로 가서 시동생과 상의한 끝에 수술날짜를 결정했다. 간호사에게 가서 결정된 일을 얘기한 뒤 다시 병실 배정을 기다렸다. 짙은 안개가 낀 듯 한치 앞도 보이지 않는다. 현준의 도움으로 간신히 수술동의서에 사인을 하고 서류작성을 마쳤다. 수술실 밖을 서성이며 제발 아무일도 없기를 두손 모아 간절히 기도해본다. 속이 좋지 않아 화장실로 달려갔다. 먹은 것도 없는데 왜 이런지 알수 없다. 낯선 모습의 내가 거울 속에 보인다.부은 눈과 푸석한 피부에 짙은 그림자가 드리워진 듯 하다. 그와 함께 병원에서 보냈던 시간은 그리 길지 않았다. 오랜시간 진행된 수술이 끝나고 회복실에서 경과를 지켜보겠다는 의료진의 말을 듣게 되었다. 깨져버린 유리조각들이 가슴에 박힌 듯 마음 한편이 아려온다. 나도 모르게 고개를 떨구며 깜빡 잠이 들고 말았다.

많은 사람들이 분주하게 병실을 오고 가고 있다. 나는 멀리서 그 광경을 지켜보자 덜컥 겁이 났다.그의 병실로 부리나케 달려갔다. 근처에 다가가자 식은땀이 흐르고 온몸이 떨리기 시작했다. 다시 대기실에 앉아 초점없는 눈으로 멍하니 바닥을 내려다본다. 이 때 내 어깨에 누군가 가만히 손을 얹어준다. 고개를 돌려 바라보니 내 친구가 와 있다.

주희와 대화를 나누려는 순간 불안한 진동소리가 들려온다. 간호사실에서 보호자를 찾는 전화를 받았다. 회복실로 서둘러 가보니 분주하게 바이탈 사인[1]을 체크하는 사람들이 보였다. 침통한 표정의 의사의 눈빛은 지난번과는 사뭇 다르게 느껴졌다. 나는 더 이상 말을 잇지 못했다. 다리에 힘이 풀려 그대로 자리에 주저앉고 말았다. 곁에 있던 그녀가 말없이 꼭 안아주었다. 따뜻한 햇살에 얼어붙었던 얼음이 녹아내리듯 하염없이 눈물이 흐른다. 뜬눈으로 아침을 맞이했다. 혹시라도 내가 눈을 감는 사이 무슨 일이 벌어질지도 모르니 잠시도 마음을 놓을수 없었다. 거센 바람에 흔들리는 위태로운 촛불이 살아나길 바라는건 너무 헛된 기대였을까. 침대 위 하얀 천이 놓이고 희미한 불꽃은 이내 빛을 잃었다. 산산이 조각난 마음은 부서진채 허공을 맴돌고 있다. 멀리서 비치는 아득한 빛을 바라본 것처럼 눈 앞이 흐릿해진다.

    장례식장에서 걸려온 전화로 사망 이후 절차를 알게 되었다. 영정사진을 준비하라는 말과 화장터 예약에 관한 이야기가 아직도 귓가를 맴돈다. 현준과 시댁가족들이 부고문자를 보내는 일부터 장례절차를 준비하기로 했다. 아직도 내 눈앞에 벌어진 일이 믿어지지 않는다.

    현준이 사망진단서를 받아들었다. 이 종이가 화장절차엔 꼭 있어야 한다고 했다. 그의 이름 석 자를 멍하니 바라보았다. 여전히 나는 그가 어딘가에 잘 있을거란 생각이 든다. 사진 속의 그가 다시 돌아오지

---

1   바이탈 사인: 혈압, 맥박, 호흡수, 체온 등 생명유지 기능을 나타내는 지표이다.

않을까 싶어 몇 번이나 뒤를 돌아본다. 납골당에 놓을 그의 사진을 고르기 위해 또 다시 꺼낸 추억의 한 페이지에는 늘 웃고 있던 그의 모습이 남아있었다. 집으로 돌아와 그의 물건을 한켠에 남겨놓았다. 이것마저 사라진다면 아무것도 남은게 없이 텅 비어버릴테니까. 그는 신혼여행에서 돌아온 날 식탁에 앉아 나를 불렀다. 부엌으로 가보니 서류봉투가 놓여있었다. 그는 자신의 이름으로 들어놓은 생명보험증서라며 잘 보관하라고 일러주었다. 이렇게 혼자 가버리게 될 걸 그는 알고 있었던 걸까. 나는 그렇게 갑작스레 찾아온 이별에 아무 준비도 하지 못했다. 예전엔 창문을 열고 밝은 햇빛을 받으며 베란다에서 지나가는 사람을 바라보는 걸 좋아했다. 지금은 거실과 안방의 암막커튼으로 바깥에서 들어오는 빛이 들지 못하게 해 놓았다. 거실에는 햇빛을 보지 못한 화초가 시들어 잎사귀를 떨어뜨린 채 잠들어있다. 장례식이 끝난 뒤 고요한 날들이 조용히 흘러갔고 어느덧 2년의 시간이 지났다.

나는 밝은 바깥세계와 다른 어둠속에서 하루하루를 무기력하게 보낸다 . 주방 싱크대엔 물기를 찾아볼수 없다. 주인을 잃은 텅빈 식탁엔 오래 전 주문한 물건들이 정리되지 않은 채 놓여있다. 나는 시간을 확인하려 휴대전화를 꺼냈다. 통화목록에 뜬 부재중 전화엔 주희의 이름이 보였다. 통화버튼을 눌러 시덥지 않은 이야기를 나눴다. 주희는 나를 도와주려 이것저것 물어보았으나 그것도 별로 반갑지 않다. 나의 안부를 묻던 그녀에게서 새로운 소식을 듣게 되었다. 그 동안 하고 싶었던 꿈을 이루고 싶어 회사를 그만두었다는 말엔 활기가 느껴졌다. 또 계약기간이 끝나가는 오피스텔을 나와 곧 새롭게 살 집을 구해야한다며 말끝을 흐린다. 소파에 누워 눈을 감으면 아무것도 느끼지 못한다. 다시금 가장 평화로운 순간을 맞이한다. 그런데 갑자기 밖에서 누군가 나를 부르며 큰소리로 문을 쾅쾅 두드린다. 그 소리에 깜짝 놀라 몸을 일으켰다. 서둘러 밖을 내다보려고 문을 열었다. 그곳엔 주희가 창백해진 얼굴로 나를 보며 안도의 한숨을 내쉬고 있다. 큰 일을 겪은 뒤 다른 사람과는 거의 연락을 주고 받지 않았다. 가끔 그녀와 통화를 했었는데 며칠째 내가 전화를 받지 않자 걱정스러운 마음에 집으로 찾아온 것이다. 그녀는 물기없는 싱크대와 휑하게 공간을 드러낸 냉장고를 들여다 보고서 식탁에 앉아 생각에 잠긴 듯 했다. 그녀가 오피스텔 계약기간이 끝난 뒤라 함께 지내도 될지 묻는다. 나는 말없이 고개를 끄덕였고 그녀는 환한 미소를 보였다. 며칠 뒤 이삿짐 차로 옮기기엔 짐이 적다며 주희는 자신의 차에 모든 물건을 싣고 왔다.

 그 날 우리는 조촐한 그녀의 옷가지와 물건들을 함께 정리하며 밀렸던 이야기를 나누었다. 신입생이었던 그녀와 내가 서로 첫인상이 어땠는지 말을 꺼내자마자 웃음이 터지고 말았다.
 그녀는 나를 엄청난 새침한 아이로 보았고 나도 주희를 처음 보았을 때 차갑고 무섭게 생겼다고 생각했기 때문이다. 처음 만났을 때는 서로를 별로라고 생각했다. 하지만 같이 붙어 다니다 보니 의외로 좋아하는 음식과 액세서리를 고르는 취향도 비슷했다. 공강시간에 벤치에 앉아 수다를 떨기도 하고 학생식당에 누가 먼저 도착하는지 운동

장을 가로질러 경주를 하기도 했다. 시험 기간에는 집이 가까웠던 그녀가 늘 도서관 자리를 맡아놓았다. 좋은 친구를 둔 덕분에 원하는 자리에서 맘 편히 공부하고 있었다. 그렇게 즐겁게 4년의 시간을 보낸 뒤 빠르게 졸업시즌이 다가왔다. 졸업 후 주희가 먼저 취업해서 조금 질투가 난 적도 있었다. 하지만 그녀의 도움으로 백수의 신분을 탈출할 수 있었다. 메말라있던 부엌에는 조금씩 생기가 돌기 시작했다. 나도 그녀가 정성껏 준비해둔 음식을 거절할수 없어 그릇들을 꺼내고 식탁에 앉았다. 나는 그녀와 함께 조금씩 웃는 법을 알아가고 사소한 일상의 한 페이지가 우리만의 추억으로 변해가고 있다. 주희가 나를 껴안으며 익살스러운 표정을 지을 땐 눈물이 나도록 깔깔거리며 웃었다. 어두웠던 마음이 친구와 함께 보낸 시간을 거쳐 조금씩 밝아지고 있다. 나는 그와 이별한 뒤 밖으로 나가서 사람들과 시선을 마주치는 것이 두려웠다. 그래서 커튼을 이중으로 드리우고 그 짙은 어둠속에 나를 감추었다.

그녀가 없었다면 이토록 환한 아침을 맞이하지 못했을 것이다. 아직은 많은 물건과 수많은 사람들이 밀집해 있는 곳에 가는 것이 익숙하지 않아 밝은 시간에는 외출하지 못한다. 나를 위해 장을 보고 음식을 만들어주며 바라봐주는 그녀가 있다. 따뜻한 온기를 선물해주는 친구가 있어 마음이 한결 포근해진 느낌이 든다. 추운 겨울이 지나고 따뜻한 봄이 다시 찾아왔다. 이젠 다시 세상 밖으로 한발씩 내딛고 싶은 마음이 생겼다. 눈을 감으면 지난날의 기억이 떠오른다. 가슴 아픈 이별을 겪어보지 않은 사람이라면 시간이 지나고 모두 잊게 된다고 쉽게 말한다. 하지만 그건 괴로운 일을 이겨내고 있는 이들과 지금 힘들어 하는 사람에게 더욱 깊은 상처를 주는 일이다. 아직도 나는 그와 이별하는 중이다. 조금씩 과거와 멀어지는것과 알수 없는 미래를 맞이할 준비는 되어있지 않은 것 같다. 하지만 다시금 지난날의 아픔이 떠올라도 이제는 그리움의 이름으로 안아줄 수 있게 되었다. 눈을 감으면 지난날의 기억이 떠오를까 두려웠고 그의 물건을 오랫동안 간직하고 싶어서 정리하지도 못했다. 주희가 오고 난 뒤 창고에 하나둘씩 물건을 넣으며 추억에 잠기곤 했다. 갑자기 그녀가 사진을 함께 보자고 제안했다. 상자 속에 깊숙이 넣어두었던 물건들을 다시 꺼냈다. 그와 함께 했던 시간동안 찍었던 사진을 정리해둔 여러권의 앨범과 포토북을 탁자위에 올려놓았다. 부부가 되어 함께 바라보았던 바다의 풍경과 어깨동무를 하며 일몰을 보았던 그때를 떠올린다. 아무런 준비 없이 갑자기 떠났던 당일치기 여행과 소중한 순간을 함께했던 시간이 돌아보니 소중한 선물이었다. 사진 속 풍경은 다시 그 날로 나를 데려다 놓는다. 추억은 파도가 모래를 저만치 먼 곳으로 보내듯 긴 여행을 떠났다가 다시 돌아온다. 내 시선이 앨범속 사진 한 장에 머무른다. 그는 노란색 병아리 같은 화사한 색감의 티셔츠를 입고 있다."처음 뵙겠습니다! 정현수라고 합니다". 그가 수려한 외모는 아니었지만 웃는 모습이 마음에 들었다. 수줍게 웃는 그의 표정에서 순수한 소년의 눈빛을 읽었다. 우리는 곧 연인이 되었고 그는 함께 손을 잡고 바다를 거닐다 살며시 그의 어깨에 기대어본다. 밝은 햇빛은 곧 조금씩 얼굴을 감추며 사라지고 작은 별빛들이 하늘을 수놓았다.그들은 찬란

한 도시의 빛과는 다른 차분함을 선물한다. 나는 입가에 엷은 미소를 머금고 잠들어있다. 따뜻한 눈물이 베개를 젖게 한다. 어두웠던 하늘이 서서히 빛을 찾아 조금씩 밝아지기 시작하고 붉게 물든 커다란 해가 모습을 드러낸다. 새하얀 양털 같은 뭉게구름이 따스하게 그 빛을 감싸며 온기를 먼 곳까지 퍼뜨린다.

93년생 로맨티스트

지우

지우

아직은 어리다는 핑계로 사고 싶은 걸 다 해보고 살려는 이 시대의 취미 유목민. 다양한 취미 탓에 만나는 여러 사람들을 통한 간접적인 인생 공부가 어쩌면 가장 큰 취미인 듯하다. 적지 않은 상처를 사람에게서 입었지만, 그 치료 또한 사람에게서만 받는다고 믿기에, 오늘도 어딘가에서 호기심 어린 눈으로 다른 이들을 관찰하고 그 또는 그녀의 사랑스러움을 다정히 찾아주려 한다.

인스타그램: @colvyannn

나는 로맨스가 싫다.

사실은 로맨스 장르의 무언가를 보는 것이 힘들다. 현실에 텁텁함에 묻혀 살다가, 오랜만에 몽글몽글한 로맨스를 보면 다시 피어나는 생경한 감정의 더듬이가, 내일이면 돌아가야만 하는 콘크리트 더미 속을 더 두렵게 만든다.

특히 로맨스 영화를 보다가 누군가가 문득 떠오를 때가 가장 괴롭다. 당장 어찌할 수 없는 그리움과 후회나 기대감은 내가 혼자 해결할 수 없기 때문이다.

처음부터 이러진 않았다.

그래, 누구나 로맨스를 꿈꿨던 때, 가슴 뛰는 첫사랑은 있었다. 나도 그랬다.

내 첫사랑은 고등학생 때, 같이 학원 다니던 2살 터울, '정훈'이였다. 중학생 꼬꼬마 때부터 알았지만, 어느 날, 대학에 가서 이런저런 공부와 경험을 쌓을 거라 당차게 말하는 그를 보고 성숙하고 어른스럽다는 생각이 들었다. 그리고 처음으로 이성을 좋아한다는 감정을 알게 되었다. 그는 아직 나를 어린애라고 여겼기에, 머리를 쓰다듬거나 어깨를 감싸곤 했다. 그러다, 나에게 편안히 얹은 어깨동무를 의식하며 얼굴이 벌게져 대답도 제대로 못한 날부터는, 눈이 마주치면 조금 쑥스러워지고 기분 좋게 불편한 사이가 됐다. 그러다가 다가온 밸런타인데이를 기회삼아 용기를 냈다. 늘 여러 개 사서 친구들을 나눠줬던 편의점 초콜릿이 아닌, 직접 만든 수제 초콜릿을 처음 선물한 날이었다. 그에게 문자를 보냈다.

「오빠! 줄 거 있으니까 쉬는 시간에 휴게실로 와!」

아직 떡볶이 코트를 입을 서늘한 2월 날씨에 찬 공기가 가득 찬 학원 휴게실에서, 일자로 꼭 맞춰 자른 앞머리 매무새를 계속 다듬으며 그를 기다렸다.

"많이 기다렸어? 쌤이 갑자기 말 거셔서 붙잡혔어."
"아냐 아냐! 음... 눈 좀 감아 봐!"
"눈?"
"응! 눈 감고 손도 내밀어야 해!"

그리고 분홍색 하트 프린팅이 잔뜩 있는 포장지에 감싼 초콜릿 선물을 내밀었다.

그는 발갛게 상기된 뺨을 하고 있었고 표정 관리가 안 되는 듯했는데, 아마 나도 같은 얼굴을 하고 있었던 것 같다. 용기를 내어 내 마음을 전했고 약간의 시간이 지났다.

학원에서 손에 꼽아주는 모범생이었던 정훈은 이내, 딱 그 애답게 침착하고 성숙하게 굴었다.

서로 분명한 마음을 애써 누르며 '아직은 학생이니까 지금은 공부해야 해. 우리 둘 다 대학 가서 그때도 마음이 같으면 다시 얘기해 보자.'라며 의젓하게 밀어낸 것이었다.

그 후 고2 겨울 어느 날, 중요한 시험을 망친 나는, 이미 내가 희망하는 학교에 붙은 정훈을 만나 하소연을 뱉어냈다. 선생님도 부모님도 윽박만 지르던 처참한 시험 결과에, 서러워서 끅끅대며 공원 벤치에 앉아 울던 때였다. 그저 등을 토닥토닥 두드리며 책가방에서 휴지를 꺼내주던 그와 그렁그렁하고 빨갛게 된 눈으로 마주쳤을 때, 그가 물었다.

"혹시, 음, 안아줄까?"

그 물음에 잠시 망설이다가 고개를 크게 끄덕였고, 정훈이 어색하게 벌벌 떠는 손으로 나를 끌어안아 줬다. 백 마디 말보다 따뜻한 포옹은 큰 위로가 됐다.

얼마나 됐을까, '근데 포옹은 몇 초나 해야 하는 거지?' 하는 물음을 의식하자마자 수줍음이 몰려오면서 심장이 쿵쿵 뛰기 시작했다. 갑자기 온 신경이 서로 닿고 있는 모든 부분에 쏠리는 기분이었다. 둘 중 누구 심장이 이렇게 뛰는 건지도 모르게 포갠 몸 사이에서 고동이 힘차게 울려댔다. 그리고 그날 나를 집에 바래다주는 길에,

"앞으로도 가까이서 널 위로해 주고 힘이 될 수 있는 사람이 되고 싶어. 그래도 될까?"

라는 정훈의 말로 내 첫사랑이 시작됐다.

처음 서로에게 쥐여 준 '남자친구', '여자친구'라는 직책은 어색하지만, 한편으론 가슴이 뛰어 어쩔 줄 모르게 했다. 용기 내서 손을 한 번 잡은 날 이후로는, 손에 땀이 삐질삐질 나더라도 바지에 얼른 닦고 다시 꼭 잡으며 걷는 게 우리만의 규칙이었다. 그렇게 시간 가는 줄 모르고 손잡은 채 한참을 걷다가 문득 길에서 파는 장난감 반지를 본 적이 있다.

"와! 이 반지 진짜 예쁘다!"
"넌 손이 예뻐서 어떤 반지라도 잘 어울릴 거야."
"뭐야~ 그럼 나중에 결혼할 때는 이거보다 더 크고 엄청 화려한 거 사줘!"

"그럼! 어, 근데 결혼한 사촌누나한테 들었는데, 너무 화려하면 아기들이 삼킬 수도 있대. 눈에 띄어서."

"헉! 그럼, 우리 아기들 다치면 안 되니까 그냥 작고 예쁜 걸로 하자."

그렇게 나중의 결혼식과 있지도 않은 아기 이야기를 꺼내며 먼 미래를 당연하다는 듯 이야기했다.

모든 게 처음이었다. 처음이니만큼 어색하게나마 생각을 나누고, 감정을 나누고, 숨을 나누며 매일 매일을 조심스럽게 걱정하고 표현하고 배려하며 그를 만났다. 그는 나의 기준이었다. 이 정도의 상냥함, 이 정도의 지혜로움, 이 정도의 흥미. 난 이런 사람이랑 연애라는 걸 하는구나. 그를 알아 가면 알수록, 연애가 얼마나 행복한 일인지 알게 되었다. 앞으로도 함께 행복하고 싶다는 마음으로 그와 함께 손잡고 캠퍼스를 거니는 상상을 하며 공부에 열을 올렸다.

그러나 어지러워진 집안일을 핑계로 나는 결국 고3 입시를 실망스럽게 마쳤으며, 물론 정훈의 학교에는 닿지도 못했다. 그는 별로 상관없어 보였지만, 나는 한편의 자격지심이 분명히 있던 것 같다. 만족스럽지 못한 결과에, '반수라도 해 볼까' 하며 정훈에게 여러 번 상담하곤 했지만, 악을 쓰며 그의 학교로 가겠다는 마음도 잠시, 나는 점점 스무 살을 동기들과 야단스럽게 놀러 다니는 걸 가장 큰 재미로 삼는 데 쓰고 있었다. 각자의 스케줄이 생기고, 새로운 친구들과 문화를 접하며 익히느라 바빠졌다. 그렇게 우선순위에서 서로를 점차 내려놓으면서 스무 살 겨울, 소중했던 그와 이별하게 되었다.

'첫 이별', 한동안은 정신이 없었다. 내 할 일이 많다는 핑계로 헤어진 만큼, 바빠서 아파할 시간조차 없었으나, 그 일들이 끝나고 돌아올 때가 돼서야 마음을 많이 기대던 내 집이 사라졌다는 걸 깨달았다. 멍하고 허무했다. 그와 함께 나눈 긴 추억이 사진 앨범에서 쏙 하고 빠진 기분이었다. 스무 살 평생, 인생의 4분의 1을 함께한 그와의 순간을 잃는 것은 이제 막 어른이 된 나에게 너무 큰 공허였다.

그래서 아마 다음 연애에는 쉽게 마음을 주지 않겠다고 다짐도 했던 것 같다.

내 다음 연애는 대학교 2학년 때, 동기인 '세윤'이었다. 1학년 때는 자유전공학부라는 과 특성상 잘 마주치지 않아 서로의 존재도 몰랐다가, 2학년 2학기나 돼서 친해진 동기가 자기 친구라며 술자리에 불러 첫인사를 나눴다. 우연히 같은 교양수업을 듣던 그는, 방실방실 사람 좋게 웃고 다니고 싹싹한 편이었기에 친한 사람들과는 제법 분위기메이커 역할이었지만, 어색한 사람이 있으면 조용히 술만 홀짝이는 편이었다. 시끄럽게 여러 명이 시작한 술자리는, 막차 시간이 다다르면서 한둘씩 떠나갔고 마지막엔 뻗어버린 동기와 그와 나, 이렇게 셋이 남았다. 취한 동기를 한 팔씩 둘러업고는 술집을 나섰다. 이미 필름이 끊겼을 동기를 가운데 두고 우리는 시답지 않은 이야기를 하며 걸었다. 아마 어색하지 않으려고 그가 계속 나에게 말을 걸었던 것 같다. 동기를 자취방에 던져버리고 나를 버스정류장까지 데려다주는 사이에 그는 내 연락처를 물었고, 나도 그의 번호를 건네받았다. 그리고 그다음 수업 때 우린 조별 과제에서 같은 조로 배정받게 되었다. 그리고 겨우겨우 과제를 마친 날, 과제로부터 해방 기념으로 가진 술자리였다.

과제 때문에 꽤 피로했는데도 불구하고 가득 채워 넣은 술이 문제였는지 둘 다 비틀댔고, 첫차가 뜰 동안 술을 깨자며 군것질거리를 사와 편의점 앞에 앉았다. 좀 전까지 왁자지껄했던 대학가가 어둡고 적막한 걸 보니 생각 외로 마음이 평온했다. 이번 과제에 대한 예상 점수를 농담 삼아 말하다, 과제를 열심히 해줘서 고맙다는 둥 그는 엉뚱한 소리를 해댔다. '무슨 소리래. 내 학점이기도 하니까 그렇지. 너도 고생 많았어.' 하던 때에 그는 한두 걸음 정도 바짝 의자를 당겨 앉더니 잠시 말이 없었다. 그리고 불쑥 다가온 입술이 쪽 하고 내 입에 닿았다. 놀라 굳은 나와 술김에 저질러 버린 그는 몇 초간의 정적을 깨고 어색하게 대화를 이었다. 첫 마디는 사과였다.

"...미안, 이러려던 건 아닌데. 아무튼 미안해."

눈도 못 맞추며 이야기하는 그를 보며 나는 화를 내야 할지 어째야 할지 모르다가 그냥 피식 웃음이 났다.

"됐어. 술 먹고 실수했다고 생각할게."

그러자.

"실수 아닌데. 너 좋아해서 한 거 맞는데. 아, 근데 정말 입에 하려던 건 아니었어. 볼에만 살짝 하고 싶었는데……. 네가 이뻐 보여서, 아, 아니 볼도 원래 하면 안 되는 거지만! 사실, 처음 본 날부터 웃는 게 예쁘다고 생각했어. 운 좋게 같이 조별 과제 할 땐 참 책임감 있고 멋진 애라고도 생각했고……."

고백의 진정성을 계속해서 설명하는 그를 말없이 한참 쳐다봤다. 문득, 본인의 마음을 정제 없이 내질러버린 그가 어린아이처럼 느껴졌다. 그도 그럴 것이 나와 포옹 한 번 하는데도 괜찮은지 여부를 물으며 벌벌 떨었던 정훈과 비교하자면, 그의 행동은 나에 대한 배려가 없게 느껴지기도 했고 사실은 꽤 불쾌할 수도 있는 일이었기 때문이다. 성숙함 없이 일방적으로 표현한 그를 나는, 떼쓰는 아이와 겹쳐보았다.

'우리는 아직 서로를 잘 모르는 상태고 널 이성으로 볼 시간조차 나에게는 없었다'는 말들로 그날 밤을 어영부영 보냈다. 그러나 그 이후부터 그는 자신이 어떤 사람인지 열심히 나에게 설명하기 시작했다. 모든 동기와 선후배들이 나를 생각하는 그의 마음을 알 정도로 그는 꽤 열렬했다. 내가 있는 모임과 술자리와 어디든 함께하려고 했다. 연애를 시작할 분위기를 몇 번이나 깨어봤지만, 미안하고 고맙게도 그는 계속 내 마음을 두드렸고 결국 우린 연인이 됐다. 하지만 머지않아 그는 군대에 가야 했다.

그리고 그의 휴가 날, 군대를 기다리는 게 너무 힘이 든다며 울고불고하는 나를 말없이 쳐다보던 그는, 새카맣게 탄 얼굴에 그렁그렁하게 눈물이 맺히며 그렇게 힘들면 진작 말하지 그랬냐며 보내주겠다고 잘 지내라는 말을 남기며 나를 보내주었다.

이후 둘 사이를 아는 동기들에게 연락이 왔다. 몇은 날 이해하고 위로해 줬지만, 몇은 나에게 '힘들 때 사람 버리면 너 진짜 벌 받는다'라며 비난과 욕을 붓기도 했다. 나는 그를 사랑했고, 그가 나를 많이 사랑해 줘서 고마웠다. 하지만 생각보다 빨리 이별 후의 마음이 정리됐고, 이 점에 당황스럽기도 했다. 그를 떠올릴 땐, 그립고 아련한 감정보다는 정말 내가 그 사람에게 평생의 상처를 준거라 자책하며 미안해지는 순간이 많았다.

연인은 그 어떤 사이보다 감정적인 관계이다. 피붙이인 가족도 아니면서 많은 추억과 신뢰를 쌓은 오랜 친구보다 단번에 가까워진 사이고, 그걸 받치는 힘이 오로지 '사랑'이라는 감정뿐이기 때문이다. 사랑하는 이에게 거는 믿음, 기대, 존중 같은 부수적인 요소들을 연인이 해내지 못했을 때, 우린 서운함을 느끼고 상처받는다. 그 때문에 나를 사랑하는 이와 하는 연애, 내가 사랑하는 이와의 연애는 애석하게도 이별의 회복 기간이 조금 다르기도 한 듯하다. 연애의 시작부터 사랑의 양만큼 기대하고 시작하기 때문이 아닐까, 생각한다. 아마 다음 이야기가 이 가설의 증명을 도와줄 것이다.

24살, 대학을 졸업하고 취업 시장에 본격적으로 발을 담그기 전, 나는 이전부터 관심 있던 취미인 음악을 배워보고자 동호회를 알아보게 되었다. 마침 한 동호회에서 '이번 정기 공연을 보고 취향이 맞으면 입회서를 넣는 게 어떠냐?'는 제안을 해주었다. 음악을 즐기는 사람들이 모인 자리이니만큼 활기차고 개성 있는 무대가 연이어졌다. 기분은 들떴지만, 딱히 아는 노래들이 아니었던 터라 맥주 한 캔 홀짝이며 핸드폰 화면만 톡톡 건들던 때, 독특한 프린팅을 새긴 편한 후드티를 걸친 한 남자가 무대 분위기를 완전히 바꾸며 등장했다. 끈적한 멜로디와 쿵쿵 울리는 비트가 매력적인 R&B 노래를 부르는 그, 노래 속 감성에 빠져 중간중간 장난스러운 표정을 지을 땐 여유로움까지 느껴졌다. 그는 나보다 3살이 많은 '지한'이었다. 그의 무대에 한눈에 반해버린 나는, 동호회를 흔쾌히 들며 그와 친하게 지내려고 노력했지만, 이미 매력적인 여자친구가 있다는 이야기를 다른 사람에게 전해 듣고 조금 아쉽지만서도 소녀팬과 같은 마음으로 그를 동경했다.

 그의 여자친구는 나와 동갑이었고, 아주 통통 튀는 걷잡을 수 없는 매력이 있는 사람이었던 것 같다. 그는 종종 나에게 24살 여자의 마음이 어떤 상태인 건지, 왜 그녀가 그렇게 행동하는 건지 이유를 물으러 상담하곤 했다. 동호회 회식 때 마주친 그녀와 그는 꽤 잘 어울리는 커플이었기에 둘을 응원하는 팬의 입장에서 최대한 유순한 답을 내놓기에 바빴지만, 머지않아 그는 여자친구와 헤어졌다. 어쩌면 기회였다. 헤어짐에 대한 푸념을 늘어놓을 자리가 될 것임을 뻔히 알지만, 그에게 술자리를 제안했다.

생일 때 받은 와인을 한 병 챙기고, 아껴 뿌리던 향수를 축축할 정도로 뿌리고 뚝섬한강공원으로 향했다. 날씨가 좋으니, 한강을 보며 편의점 맥주나 가볍게 마실 생각이었던 그는, 공들인 메이크업에 뜬금없이 와인까지 들고 온 나를 보고 좀 당황하는 듯했다. 하지만 눈치 빠르고 센스 있는 그가 그것이 '나를 여자로 봐줘'라는 사인임을 금방 알아챘다. 전 여자친구 얘기나 실컷 듣더라도 기죽지 말자고 마음을 먹고 간 자리였지만, 의외로 그는 단 한 마디도 그녀의 이야기를 입에 올리지 않았다. 그날부터 서로를 이성으로 인식한 우리는 머지않아 연인으로 발전하게 됐다. 비록 동호회에는 음악의 열정이 우선이 되어야 한다며 연애를 금기시하는 분위기였기에 만나는 사실을 비밀로 하게 됐지만, 별로 상관은 없었다.

연애 전부터 느꼈지만, 그는 정말 개성 있고 매력적인 사람이었다. 남들이 다 가는 비슷한 데이트 코스라도 그의 취향을 더하면 신선하게 느껴졌고, 자기표현에 겁내지 않는 그는 모든 순간에 처음 본 날의 그 무대 위에 있는 것 같았다. 자신이 하고 싶던 걸 해내는 모습이 멋지다고 생각했고, 추진력이 상당했다. 그 추진력 덕분에 내 생일과 기념일을 까맣게 잊고 바쁜 스케줄을 만들어 내도 그다지 서운하지 않았다.

여느 때처럼 그의 자취방을 놀러 갔던 때, 화장실에서 머리 끈과 실핀 그리고 클렌징크림을 발견했다.

"오빠, 화장실에 클렌징크림은 뭐야~?"

"자기 놀러 올 때 화장 닦을 거 없을까 봐 사놨어. 나도 가끔 무대에 서는 날은 쓰려고."

"아 그렇구나! 여기 썼던 머리 끈이랑 실핀은 뭐야? 쓰레기통에 버리면 돼?"

"응! 운동할 때 머리 묶고 거기에 뒀나 보다. 버려줄래? 고마워!"

그가 머리를 한 번 길러본다고 하던 와중이라, 별다른 생각 없이 그렇겠네 하고 넘어갔다. 그가 그렇다면 그런 거니까. 나는 개인적인 일로 정기 공연에 참여하지 못했고, 그는 공연의 핵심 인물로 지정되면서 스케줄을 맞추기 어려운 나날이 생겼다. 그러던 중, 동호회의 한 여자 회원과 친해져 언니-동생 하며 지내던 때에 고민이 있다며 나에게 털어놓은 이야기가 있다. 바로 그가, 이번 무대를 같이 준비한다는 이유로 언니의 작업실 겸 집에 일주일에 하루꼴로 간다는 것. 그리고 한 번은 그가 언니에게 상담하길, 자기 집에 자주 놀러 오고 심지어 종종 자고 가는 고등학교 동창 여자애가 있는데 이 친구가 신경 쓰인다고 말했다는 것이다. 더불어 그 상담 내용에 질투를 느끼는 언니의 속마음 이야기를 들으며 나는 앓아누울 지경이었다. 그를 감싸고 변호하며 그저 어쩔 수 없는 순간들이 연이어 일어난 것뿐 이라고 합리화를 해봐도 도저히 감당할 수 없었다. 그에게 연락했다.

"오빠, 우리 동호회에 진영 언니 있지?"

"어, 어, 당연히 알지. 왜?"

"나 생각보다 그 언니랑 친하게 지내거든? 오늘 만나고 왔는데, 오빠 얘길 좀 하더라고."

"...그래서?"

"오빠가 나한테 말을 안 한 게 너무 많아서 지금 나는 어떻게 해야 할지를 모르겠어."

"뭘 얼마나 어떻게 들었는지는 잘 모르겠는데……. 하, 그래서 어떻게 했으면 좋겠어?"

어떻게 했으면 좋겠냐니, 결론만 말하라는 식의 말투에서 지금 사랑하는 사람과 나누는 통화가 맞는지 의아했다. 잠시 생각을 해보겠다는 이야기로 통화를 대충 끊고는, 충격에 휩싸였다. 내가 알던 사람과 다를 정도로 차가운 목소리에서 이미 느꼈다. '바쁘다는 핑계로 만나지 않던 그 시간에 너는 나를 정리했구나.' 문득 그의 우선순위에는 내가 많이 밀려있었던 것을 떠올렸다. 그리고 이별을 결심하고 다시 전화를 걸었다. 그에게 헤어짐을 고하고 나서, 그는 우리 집 주소를 불러가면서 차분히 확인했다. 본인이 몇 개 가지고 있는 내 짐들을 택배로 보내준다고 했다. 며칠 후 집에 도착한 초라한 크기의 택배를 보고, 그가 딱 나를 이만큼만 사랑했을 것 같다는 생각이 들었다.

한가득 사랑을 주고 실컷 상처를 얻은 나는 또 다짐했다.

이따위가 사랑이라면 다신 나는 애걸복걸하며 사랑에 목매지 않으리.

“그래, 굳이 사랑이 필요해? 사랑 없이도 다들 연애 잘하고 결혼 잘만 하는데, 뭐.”

이제까지 내 연애 이야기를 쭉 들은 회사 동기가 얼음이 다 녹아가는 아이스 아메리카노를 눅진하게 다 젖은 종이 빨대로 휘휘 저으며 말했다.

“그러지 말고, 우리도 이제 사회인인데 다들 보는 소개팅 좀 한 번 봐. 27살이 되도록 한 번도 소개팅 안 한 사람이 너 말고 어디 있겠어?”

“소개팅은 너무 인위적인 것 같아서 어색하고 무섭단 말이야. 나가서 무슨 말을 해야 할지도 모르겠고…….”

“평소에 말도 잘하는 애가 이런 덴 소심한 면이 있네? 아, 말 나온 김에 이 사람 어때? 직장도 괜찮고, SKY 출신에, 멀끔하게 생겼어. 사진 보내줄게 한 번 봐봐.”

“음, 그러게, 멋지시네. 근데 그런 사람이 왜 나를 만나겠어.”

“왜 만나긴? 조건이 맞으니까 만나지?”

“조건? 글쎄 난 잘 모르겠는데…….”

“여하튼 한 번 만나보고 생각해! 어차피 나간다고 다 성공하는 것도 아니야! 으그!”

그렇게 등을 떠밀려 한 번 얼굴이나 보고 밥이나 먹고 오자는 생각으로 나간 소개팅이었다. 주선자들이 질리도록 말하는 관용구인 '궁합도 안 보는 네 살 차이'인 '주찬'은, 훤칠한 키에 깔끔한 셔츠와 슬랙스를 입은 채 등장했다. '여자 소개팅 옷'을 인터넷에 열심히 검색해서 엇비슷하게 흉내 내온 나와 다르게 그는 딱 제 맞춤옷처럼 자연스러웠다. '회사도 이렇게 멀끔히 입고 출근하겠지? 진짜 사회인답네.'라는 생각을 하자마자, 그는 사람 좋은 웃음을 지으며 자신이 조금 늦은 이유를 설명했고, 늦었으니 케이크 한 조각을 사 오겠다며 자연스레 내 입맛을 물었다.

"여성분들은 보통 단맛이 강한 디저트를 좋아하시던데, 혹시 어떤 케이크가 괜찮으세요?"
"아, 저는 단 걸 별로 안 좋아해서. 음, 그럼, 통밀 쿠키만 하나 부탁드리겠습니다!"
"네, 알겠습니다. 대신 늦은 건 꼭 용서해 주셔야 해요~?"

능글맞게 대화의 물꼬를 튼 그는, 나긋한 말투로 많은 질문들을 해 댔다. 생글생글 웃으면서 쏟아내는 질문들에 그저 끄떡거리며 대답만 하다가, 부모님 직업과 출신 고등학교 이름까지 말하고는 조금 정신이 들었다.

"아~ 그러셨구나! 하하, 음, 혹시 저한텐 궁금한 거 없으세요? 자꾸 저만 질문하는 것 같아서!"

"어. 안 궁금하다기보다……. 사실 어떤 질문을 해야 할지 잘 몰라서요. 좀 부끄럽지만, 오늘이 제 첫 소개팅이거든요."

"아, 정말요? 별로 긴장한 티도 안 나고 대답을 너무 잘해주셔서 전혀 몰랐네요!"

"그런가요? 그렇다면 다행이네요…!"

그렇게 그의 매너 있는 반응과 능수능란한 대화 진행에 이끌려 가다 보니, 예상한 시간에 빠르게 다다랐다. 오늘은 차만 마셨으니, 다음엔 식사하는 건 어떠냐 묻는 그에 말에 그러자고 말하고 버스에 올랐다. 생각해 보니 이 대화는 말로만 듣던 '애프터'였던 것이다. '원래 애프터는 집에 도착해서 조금 망설인 후에 조마조마하면서 보내는 게 아니었나? 그건 그냥 드라마였나? 너무 자연스러워서 애프터 신청인 줄도 몰랐네.' 하고 구시렁대며 집으로 갔다.

두 번째 만남에는 파스타 전문점에 갔다. 장소는 그가 '이전에 가본 곳 중에 맛이 괜찮고 주차가 용이한 곳'으로 골랐다. 파스타 맛은 적당했다. 오늘도 저번처럼 그의 리드로 대화를 주고받았다.

"그러고 보니, 이 집이 사실 와인을 정말 특이한 걸 많이 구비해 둬요."

"아, 정말요? 저는 와인을 잘 몰라서……. 어떻게 특이한 와인인지 궁금하네요."

"궁금하시다니 소개하고 싶은 와이너리가 많이 떠오르네요. 그럼,

다음에는 차를 두고 올게요. 같이 와인 한잔 하실래요?"

또 한 번, 자연스럽게 잡힌 다음 약속이었다. 그리고 세 번째 만남에,

"사실 저는, 남녀가 세 번을 만나면 어떤 결과든 결실을 내야 한다고 생각해요. 우리가 이번이 벌써 세 번째인 거 아세요? 하하. 전 솔직히 우리 나쁘지 않을 것 같아요. 입맛도 크게 모나지 않고, 성향도 비슷한 것 같아서요."

라는 말을 했고, 나 역시 그가 나쁘지 않았기에 만남을 승낙하면서 '이게 어른들의 연애구나. 감정 에너지가 확실히 적게 들어가는 기분이네.'라고, 생각했다. 평일은 점심, 저녁 메뉴를 공유했고, 주말에는 회사 동기에게 지난달에 다녀온 데이트 명소를 전해 듣고는 한 번씩 드라이브를 다녀오곤 했다. 초반에는, 사회초년생이라 한참 적응 중인 내가 회사에서 한 실수로 상사에게 혼난 이야기나 상사 욕 같은 회사에 대한 푸념을 그에게 늘어놓았지만, 둘 다 어엿한 사회인인데 나만 너무 어리숙한 면을 보여주고 있다는 생각이 점차 들면서 부끄러워졌다. 그 이후부터는 '요즘 힘든 점' 같은 회사에 관한 이야기가 나올만한 토픽은 아예 꺼내지를 않게 됐다. 그렇게 무난하고 규칙적이고 적당한 연애를 이어갔다. 그와 있으면 편안했다. 마음이 찢어지게 아프다거나, 설레서 어쩔 줄 모르겠다거나 그런 연애는 이제 어른이

된 나와 어울리지 않아. 하면서 만족해했다.

　그러다 내 생일에 무언가 필요한 게 없냐며 선물해 주겠다고 말한 그와 백화점을 들어선 날이었다. 들어선 1층 바로 앞 주얼리 코너에는 화려한 반지들이 영원한 사랑을 의미하는 다이아몬드를 품고 반짝이고 있었다. 반지가 참 예쁘네. 문득 그렇게 말할 뻔했다. 갖고 싶은 게 아니어도 예쁜 건 예쁘기 때문이다. 하지만 그 말을 하지 않은 이유는, 내 옆에 있는 그가 그 말을 듣고 난감하거나 당황스러운 표정을 지을 것 같았기 때문이다. 어느 날 봤던 귀여운 장난감 반지가 떠올랐다. 개의치 않고 꺼낸 결혼 이야기와 아이 이야기를 웃으며 나누던 그날이 떠올랐다. 내가 지금 옆에 있는 이 사람에게 그런 얘기를 꺼내도 될까? 만약 꺼낸다면 그는 진지한 표정으로 결혼 계획을 세운다고 할까? 아니면 당황하며 다른 이야기로 말을 돌리진 않을까? 이런 생각들까지 이어지는 바람에, 나는 그저 반지가 예쁘다는 말을 어른스럽게 참아낸 것이다.

　그 이후 그가 넌지시 꺼낸 결혼 얘기에, 나는 아직 결혼 생각이 없다며 결혼을 생각하는 여자와 만나는 게 좋을 것 같다고 말하고 그와 헤어지게 되었다. 좋은 사람을 잃은 것은 아까웠으나, 슬프진 않았던 것 같다. 주변 사람들은 제법 좋은 부부가 됐을 거라며 아쉬워하기도 했다. 하지만 난, 성숙한 그와 다르게 아직 사랑 타령이나 하는 내가 결혼이 어울리는 사람이 아닌 것 같다고 느꼈다. 아직은 내가 하고 싶은 사랑을 좇고 싶었나 보다. 어린애처럼 울고불고 표현이 서툴러도 마음이 시키는 사랑이 더 하고 싶었나 보다.

"에휴. 사랑을 혼자 하는 것도 아니고, 그게 어디 쉽나……."

혼자 중얼거리며, 엔딩 크레딧이 올라가는 노트북 화면 불빛을 조명 삼아 비련한 여주인공 같은 표정을 지어본다. 역시 로맨스 영화를 보는 게 아니었다. 내일부터는 또 한동안 괴로워질 것이다. 영화와 함께, 사랑을 생각해 보게 해준 그들을 한 명씩 떠올리다 보니, 벌써 새벽 한 시가 됐다. 메신저로 전달받은 정훈의 모바일 청첩장을 시간과 장소를 외울 만큼이나 열어봤지만, 마지막으로 한 번 더 까딱까딱 스크롤을 내려 보며 한 모금 남은 캔맥주를 입 속에 털어 넣었다.

'치우기 귀찮지만 그럴 순 없으니 딱 5분만 더 앉아 있다가 정리해야지.' 하고 등을 기대고 있던 소파에 상체를 쭉 펴서 늘어뜨려 놓고 천장을 멍하니 바라봤다.

메신저 알람이 울렸다.

이 시간에 올 사람이 없는데, 혹시 결혼을 앞두고 싱숭생숭한 정훈이?

아니면 술에 취해서 떠오른 내 생각에 괴로운 그 사람?

1초 만에 온갖 생각을 하며 핸드폰을 낚아챘다.

얼마 전, 업무 때문에 몇 번 마주했던 클라이언트 회사의 막내 직원이었다. 싹싹하고 웃는 게 꽤 귀여웠던 그는, 미숙하지만 열심히 일하려는 모습이 인상적이어서 기억에 남았다. '업무는 지난주에 다 마무리됐을 텐데. 이 시간에 연락을 준 거면 급한 수정 사항이 있나?' 싶어 내용을 읽었다.

「안녕하세요. 대리님! 저번에 뵀던 이준서 주임입니다! 늦은 시간에 정말 죄송합니다. 계속 물어보고 싶었는데, 일을 다 마칠 때까지 기다렸다가 이제야 여쭤보네요. 혹시 남자친구 있으실까요? 아니시라면 혹시, 이번 주 주말에 같이 로맨스 영화 보러 가실래요?」

콕 짚어 '로맨스 영화'라니, 어디서 누가 내 마음을 몰래 일러준 게 틀림없다.

이번 한 번만 더 사랑을 기대해도 괜찮지 않을까? 정말 마지막으로 로맨스에 속아보려고 한다.

「그래요.」

하이볼 맛 갱년기

이지영

이지영   살짝 일찍 찾아온 갱년기는 하이볼 처럼 달콤한 기분을 주다가 순식간
에 씁쓸한 맛의 우울감을 안겨줍니다. 40대 중반을 지나며 일찍 찾아
온 갱년기로 글을 쓰게된 중년 여성 이지영 입니다.

블로그: blog.naver.com/ljymjoo
이메일: ljymjoo@naver.com

"젠장, 이젠 물컵도 가벼운 종이컵으로 바꿔야 하나?" 아끼는 머그잔에 물을 따르며 볼멘소리했다. 언젠가부터 뻣뻣해진 손가락 관절은 그깟 물 한 잔도 편히 마시질 못하게 했다. 건조해진 목을 축인 후 컵 손잡이에 끼워졌던 손가락들을 펴며 주무르기 바빴다. 한껏 구부러져 있던 손가락 관절은 녹슨 젓가락처럼 욱신거리고 아렸다. 밖으로 나가 하염없이 걸었다. 거리에 우두커니 서 있는 나무는 앙상하게 가지만 남아 몹시 추워 보였다. 바람이 세차게 불어오는 추운 날이었지만 걸음을 멈출 수가 없었다. 그 어떤 이유도, 그 어떤 문제도 존재하지 않았다. 아무리 기분 전환을 해봐도 축 가라앉은 머릿속은 커다란 돌덩이가 들어찬 것처럼 무거웠다. 이런 증상을 갱년기라고 하는지 나도 시작된 건가 싶었다. 인정하고 싶지 않았지만, 말맛도 없는 '갱년기'는 조금씩 나를 옭아매었다. 난 조금 이른 폐경이 되었다. 평균 나이 50대 이후에나 오는 폐경은 40대에 찾아와 순식간에 갱년기 증상을 일으켰다. 그 옛날 희미한 기억이 된 첫 초경이 뿌연 안개처럼 떠올랐다. 나의 첫 월경은 초5 학년 무렵 시작되었다. 또래보다 일찍 찾아와 경험하게 된 어린 나에게는 전혀 좋아질게 없을뿐더러 귀찮고, 더러웠다. 내성적이었던 나는 마음이 위축되어 더욱 소심해졌다. 그날만 되면 말수가 줄었고 움직임 또한 불편했다. 그러나 친구들보다 빠른 경험은 한편으로 몸과 마음을 더 성숙하게 하는 계기를 주었다. 다행히 생리통으로 고생하던 일은 거의 없었다. 30대가 되어 제왕절개 수술을 통해 출산과 육아를 했다. 그동안 생리도 꽤 규칙적이었으며 이상 증세를 느낀 적은 없었다. 그러던 어느 해, 육아하며 아이를 키우던 나에게 건강검진으로 알게 된 난소의 이상은 잘 지내던 몸을 변화시키기에 충분했다.

"네? 선생님, 난소 물혹이라고요?"

정기 검진으로 항상 받아오던 산부인과 진료 중 30대에 불쑥 튀어나왔다. 그 당시 익숙지 않았던 난소 낭종이라는 병명을 알게 되었고, 나의 한쪽 난소에 생겨났다.

"아직은 크기가 크지 않으니 좀 더 관찰합시다. 몇 달 뒤에 다시 오세요"

담당 의사는 걱정하지 말라며 이런저런 얘기를 해주었다. 그러나 괜찮을 줄 알았던 물혹은 점점 크기가 커졌고 몇 해 지나지 않아 제거 수술을 받게 되었다. 이 일로 인해 나의 난소 한쪽은 거의 형태가 사라졌다. 기능마저 끝나 나머지 한쪽에서 난포를 생성할 뿐이었다.

난소낭종은 대부분 양성인 혹으로 단순히 물혹인지 병적인 혹인지 구분이 가능하다. 나는 다행히 단순한 물혹이었다. 크기에 따라 처치가 다른데 크기가 커지면 부분적으로 터져 복통이 될 수 있었다. 또한,

호르몬을 분비하는 경우 생리주기 이상이 올 수 있었다. 가슴의 민감도도 증가하고 체중 증가 피부 변화 등의 증상이 나타날 수 있었다. 난소의 역할을 알아보니 난자를 만들고 에스트로젠 프로게스테론 테스토스테론과 같은 성호르몬을 분비하는 생식 기관이었다. 아주 중요한 역할을 하는 기관이었다. 나는 생각지 못한 수술로 한쪽의 난소를 잃어버린 게 너무 안타까웠다. 수술을 받은 지 벌써 10년도 훨씬 지났지만, 그로 인해 몸의 기능을 떨어뜨리는 사건이 되었다. 적잖이 폐경을 앞당기는 기틀이 되었다.

"이지야! 잘 지냈어? 시간 되면 금요일에 보자."

"아니 안돼. 그날 일이 있어 나중에 보자."

친한 친구에게 만나자는 연락이 왔다. 날씨 좋은 보통날에는 열일 제치고 만남에 화답하는 나였지만 일이 있다 둘러대고 아무도 없는 집에 덩그러니 있었다. 라디오에 흘러나오는 음악을 듣거나, 슬픈 사연을 들을 때면 괜스레 감성에 젖어 눈물이 맺히기 십상이고, 혼자 멍하게 있고 싶었다. 남편이 뭐라 하는 것도 아니고, 아이들이 속을 썩이는 것도 전혀 아니었다. 차라리 심각한 사건이라도 생겼다면 나의 상태를 이해라도 할 텐데 아무것도 하기 싫은 심리적 고통이 더욱 나를 힘들게 했다. 평범한 날에는 혼자 카페에 가서 음악을 듣고 커피를 마시곤 했다. 고민이 생기면 근처 물이 흐르는 냇가를 걸으며 마음을 정리했었다. 오랫동안 해오던 활동들이었는데 이렇게 평범한 일상도 다 하기 싫었다. 혼자 집에 우두커니 있고 싶었다. 이런 변화들이 스스로 이해되지 않았다. 책을 찾아서 갱년기 우울감에 대한 설명을 봤지만, 우울증이라 말하고 싶지 않았다. 아무런 이유도 찾을 수 없었기 때문이었다. 물론 무기력감과 사기 저하 같은 증상이 나타났지만 인정하고 싶지 않았다. 멍하게 소파에 앉아 밖을 내다보다 문득 서랍 정리라도 해야겠다는 마음이 앞섰다. 서랍을 여는 순간 잔뜩 쌓인 쓰다남은 생리대가 두 눈에 들어왔다.

"맞다! 생리대. 이 많은 걸 다 어떡해."

괜히 서랍장을 열었다. 보지 말 것을, 그냥 놔둘 것을 되뇌며 마지막 생리 날 새로 사놓았던 생리대를 물끄러미 바라봤다.

"쓸데없이 자리만 차지하고 있잖아."

"그까짓 것 뭣이라고, 내 기분이 이런 거야."

온통 짜증이 머리끝까지 났다. '그 뭣'이 왜 처량하게 보였는지 내색하지 않은 내 마음 같아 화가 치밀었다. 그대로 있을 수는 없었다. 자꾸만 감정 기복이 줄타기한 듯 곡예를 부렸다.

갱년기라는 매운 놈은 '사춘기를, 고3'을 이긴다는 표현이 있는데 이해할 수 있었다. 가만히 나의 상태를 두고 보기 싫었다. 기존의 활동적인 편이었다. 직업도 있었다. 취미 생활도 잘하고 있었는데 우울감이 왜 자꾸 생기는지 받아들일 수 없었다. 일단 갱년기에 좋다는 건강기능 식품을 검색했다. 석류즙을 다시 구매해 마셔봤다. 한의원에서 일하던 나는 원장님 권유로 갱년기에 좋은 보약도 몇 차례 복용했다. 또한, 태반이 도움이 된다길래 비싼 보약을 먹지 않을 때는 태반이라도 구입해 복용했다. 이렇듯 갱년기에 좋다는 것을 복용할 때는 훨씬 몸 상태가 나아져 좋아하던 여행도 갔다. 때로는 친구를 만나며 극복해 나갔다. 그러나 부담되는 비용으로 매번 복용하기에는 쉬운 일이 아니었다. 소위 '약발'은 오래가지 못했고 다른 방법이 필요했다.

"엄마! 엄마는 갱년기 때 어땠어?"

답답한 마음에 엄마에게 이런저런 얘기라도 하고 싶어 전화를 했다.

"갱년기? 그때 그런 증상을 알지도 못했지. 너희들 사춘기 때 엄마도 짜증이 많이 났던 것 말고는 잘 모르고 살았어."

"그때가 갱년기이었나 오래돼서 생각도 안 난다."

어느새 70대가 되신 엄마는 그 옛날 '갱년기'라는 단어조차 잘 모르셨다. 워낙 오래된 일이라 기억도 나지 않으시는 듯했다. 그런 말씀을 하시는 엄마에게 어떤 조언도 도움 되는 경험들도 들을 수 없었다. 난 마음을 나눌 만한 곳이 어디에도 없었다. 갱년기 증상은 갈수록 심해져 갔다. 손가락 관절은 계속 뻣뻣했다. 피부 건조증은 아무리 크림을 발라도 푸석해지고 거칠었다. 탈모 우울감 등 크고 작은 증상들은 서서히 생겨났다. 그중에 제일 어려웠던 것은 계속 다운되는 마음 상태였다. 평소 운동을 해도 다운된 기분은 쉽사리 올라오지 않았다. 세상혼자만 사는 듯한 메마른 정서가 계속 이어졌다. 비싼 보조제와 약들은 꾸준히 복용하기란 쉬운 일이 아니었다. 오롯이 마음을 다스리려고 노력했다. 평소 좋은 음악을 들으며 취미생활로 라인댄스도 하러다녔다. 음악에 맞춰 춤을 배울 때면 즐겁고 신났다. 그런 노력도 재미는 얼마 지나지 않아 사라졌다. 머릿속에 무거운 느낌이 점점 들었다. 아침이 지나, 오후가 되어도 머리가 답답하고 기분이 나아지질 않았다. 나의 마음 상태는 한없이 지하 계단을 내려가는 것 같았다. 좋아하던 혼자 가는 여행도 가지 않았다. 과거에는 ktx를 타고 일이 쉬는 날이면 부산 태종대에 올라 푸른 바다를 바라보았다. 나에게는 해외 여행 부럽지 않을 만큼 즐거운 일이었다. 혼자 태종대 유람선을 용기 내어 탔던 기억이 생생했다. 바닷바람에 머리는 헝클어졌지만 선상에서 느꼈던 행복은 오랫동안 잊을 수 없는 감동이었다. 어느순간 넘치도록 좋아했던 여행이 다 귀찮고 싫었다. 그야말로 '흥'이 나지 않았으며 '갱년기'라는 듣기 싫고 말하기 싫은 늪에 빠져 허우적댔다. 이제는 점점 한계에 다다랐다는 느낌이 몸에 전해 졌다. 참다못해 병원으로 향했다. 피검사를 하고 결과를 듣는데 나의 호르몬 수치는 거의 바닥이었다. 처음 생리 주기가 들쑥날쑥하여 검사할 때와는 불과 몇 개월이 지난 후였다.

"호르몬 수치는 급격하게 떨어질 수 있어요. 예전에 난소낭종 수술하신 것도 더 빠른 폐경으로 이어진 거예요."

"선생님! 호르몬 수치가 낮아져 저의 기분이 더 가라앉는 건가요?"

"네, 맞아요. 갱년기 증상으로 흔히 나타나는 거예요."

담당 의사는 차분히 설명하며 약 복용을 권유했다. 그동안 약 복용을 미루어 왔던 이유는 약에 의존하고 싶지 않다. 웬만하면 약을 잘 먹지 않던 편이었다. 엄마께서 매일 혈압약을 드시는 것도 내심 못마땅했다. 당연히 드셔야 하는 걸 알면서도 건강 관리 더 철저히 하라

며 잔소리하곤 했다. 그랬던 내가 복용할 때 각종 부작용도 생길 수 있
는 데다 유방 질환에 노출된다는 갱년기 약을 먹으려니 마음이 편하
지 않았다. 하지만 생기지도 않은 부작용을 미리 탓할 수는 없었다. 당
장 멍해지는 기분에서 벗어나고 싶어 약을 처방 받았다. 헛헛했다. 약
국에서 받아온 약을 손에 들고 마트를 향해 갔다. 마음이 꽉 막힌 듯하
고 답답했다. 맥주 한 캔을 빠르게 골라 계산을 한 뒤 집에 도착하자마
자 맥주 캔을 따 벌컥벌컥 들이켰다. 마음을 가다듬으려고 크게 한숨
을 내쉬었다.

"올 것이 왔구나, 그래! 무엇이 달라지는지 먹어보자."

약봉지를 바라보며 조용히 내뱉었다.

부족해진 호르몬을 보충하기 위한 약은 여러 가지가 있는데 경구용
으로 먹는 정제 알약이 있다. 피부에 붙이는 패치형 젤 혹은 크림 상태
의 약을 발라 피부를 통해 흡수시키는 바르는 연고 형 외음부에 넣는
좌약 질 제형이 있다. 보편적으로 처방되는 약은 경구용 정제 알약인
데 그 종류도 꽤 많다. 의사와 증상에 대해 잘 상담하여서 결정하면 된
다. 담당 의사가 나에게 처방해 준 약은 멈췄던 생리를 다시 하게 하는
약이었다. 선생님 의견은 이러했다. 몇 년 앞당겨 폐경되었으니 평균
나이까지는 생리하는 게 몸 기능을 위해서 나을 것 같다고 했다.

더군다나 호르몬 약을 먹으면 부정 출혈이 있을 수 있어 이왕이면
규칙적으로 나오게 하는 것이 몸의 변화를 좀 더 자세하게 알도록 하
는 데 도움이 될 거라 했다. 선생님의 약에 관한 설명은 나를 당황하

게 했다. 생각지도 못했던 생리를 다시 하게 될 줄은 전혀 예상하지 못했기 때문이다. 약의 종류가 워낙 다양해서 생리하게 할 수도 있고 하지 않을 수도 있었다. 일찍 폐경된 나의 상태로는 매달 생리를 하는 약으로 권하셨다. 난 믿음이 가는 설명을 들은 뒤 가져온 첫 호르몬 약을 결국 먹게 되었다. 경구용 약 한 통은 28정으로 되어 있어 매일 하루한 알을 같은 시간에 복용하는 약이었다. 만약 생리하는 경우에도 쉬는 날 없이 매일 복용하는 거였다. 약을 복용한 지 5주 만에 거짓말처럼 뚝 끊어졌던 생리를 다시 하게 됐다. 미묘하고 복잡한 마음이 머리를 스쳤다. 입가에 멋쩍은 미소가 지어졌다. 약을 먹으며 몸의 변화가일어난 지 어느새 1년이 되어가고 있었다. 처음 약을 먹은 2개월쯤까지 제일 눈에 띄는 변화는 가뿐한 기분이었다. 아침에 눈을 뜨면 머릿속이 개운하고 참 가벼웠다. 뻣뻣했던 손가락도 조금 나아지고 대체로 몸의 기능이 회복되었다. 그것만으로 호르몬 약 먹기를 잘했다고 생각했다. 그러나 아쉽게도 쉽게 허락하지 않았다. 예상하지 못했던 유방 통증이 생겼다. 약을 먹은 뒤 2개월이 넘으면서 양쪽 가슴이 점점 아파왔다. 생리할 시기도 아닌데 크기까지 커졌다. 과거 생리를 할때의 느낌보다 좀 더 커지고 좀 더 통증이 심했다. 며칠이 지나도 가라앉지 않아 잠을 잘 때도 편하지 않았다. 점점 불안한 마음이 커졌다. 생리 전 증후군과는 확실히 다르다는 생각이 들었다. 서둘러 다시 상담하러 병원에 방문했다.

"호르몬 약을 먹으면 나타날 수 있는 증상이에요. 유방이 커지고 통증이 생길 수 있어요. 증상이 심하시면 호르몬 용량을 낮추어 다른 약으로 처방해 드릴게요."

담당 의사는 다시 나에게 맞는 약으로 교체해 주었다. 약의 호르몬 용량이 높은 것 같다는 소견이었다. 새로운 약을 가져온 후 복용에 관한 생각에 잠겼다. 부작용을 경험해보니 이대로 계속 복용해도 괜찮은 건지 의문이 들었다. 누구에게나 생길 수 있는 당연한 이 일을 계기로 먹던 약을 잠시 중단해 보았다. 처음 며칠은 아무 일 없이 마음이 편안했다. 혼자 예전처럼 스타벅스에 앉아 음악을 들으며 사색도 하고 책꽂이에 있는 잡지도 보며 일상적인 날들을 보냈다. 아팠던 유방 통증은 하루하루 지날수록 좋아졌고 예전 모습으로 되돌아갔다. 은근히 걱정되던 마음은 안정을 찾아갔다. 복용했던 약이 나와 안 맞았던 것은 분명했다. 마음이 편해져 친구들과도 만나 근교 경치 좋은 곳으로 드라이브도 하며 시간을 보냈다. 난 기꺼이 가벼운 마음으로 직접 운전대를 잡았다. 오랜만에 느끼는 자유로움이었다. 점점 가라앉는 기분을 인식하기 전까지는 즐거운 나날이었다. 몇 주가 지난 어느 날부터 다시 머리는 무거워졌다. 기분은 저조했다. 예전의 마음 상태로 되돌아가는 것 같았다. 눈에 띄게 차분해지며 의욕이 사라져 갔다. 손가락 관절 움직임 또한 둔해졌다. 평소 잘 참는 편이었는데 전혀 그렇지 않은 사람 같았다. 도저히 가라앉는 기분을 참을 수가 없었다. 새로 받아놨던 약을 처음처럼 다시 먹게 되었다. 나조차 받아들이기 싫지만, 약의 힘은 달랐다. 새로운 약은 서서히 갱년기 증상에서 벗어나게 했다. 흔하게 겪는 우울감과 무기력증 같은 증상을 훨씬 호전되게 해주었다. 하루종일 꼬리를 무는 생각으로 지치고 멍했던 머리가 맑아지는 기분이었다. 두 번째 약을 먹은지 5개월이 될 무렵 다행히 호르몬 용량이 잘 맞는지 별 탈은 나지 않았다. 제일 심하던 감정 기복은 마음의 안정을 되찾게 도와주었다. 웃음도 쉽게 나지 않더니 예능 프로를 보면 웃을 수 있었다. 머릿속을 떠나지 않던 쓸데없는 많은 잡념은 꽤 정리가 되었다. 무엇보다 이러한 점이 호르몬 약의 필요성을 인식하게 되었고 가장 만족감이 들던 부분이었다. 물론, 약이 잘 맞는다고 해서 갱년기 이전처럼 활력이 넘치거나 증상들이 말끔히 없어지는 것은 전혀 아니었다. 사람마다 정도의 차이는 있겠지만 이상하게 병들어 가던 몸의 기능들을 좀 더 회복할 수 있을 정도였다. 조금 나아지고 평범해지는 것인데 이 정도로 감사하게 되니 한편으로는 씁쓸해졌다. 하지만 이번 새로운 약을 계속 먹으면서 지금까지 몸의 이상 없이 나에게 잘 맞아준 약이 한편으로 고마웠다. 운동을 열심히 해도 분명 해결되지 않던 몸의 이상과 마음의 변화들이 있었기 때문이다. 어느 유명한 의사는 80대이신 어머니도 갱년기 약을 드시게 한다는 말을 들었다. 결코 위험한 약이 아니며 무턱대고 거부 할 약도 아니라는 생각을 했다. 도리어 증상이 나타나는 데도 참기만 하고 피하기만 하다 보면 수많은 질병이 발생할 일이었다. 난 그런 증상들을 보고만 있기 싫었다. 나의 몸 상태는 약을 먹으며 다시 일상을 편하게 유지할 힘을 주었다. 일을 할 때도 상대방에게 웃으며 말하는 날들이 많아졌다. 약은 병든 닭처럼 멍하게 지내던 날들을 벗어날 수 있게 도와주었다. 앞으로 갱년기를 겪는 동안 벌어지는 일상들을 평소 숨을 쉬듯 별일 아닌 일처럼 지나칠 수 있게 됐다.

40대 중년 이후에 누구에게나 찾아올 수 있는 갱년기는 흔한 질병이다. 나이 들어가는 것도 서러운데 온갖 질병 때문에 몸과 마음을 다치기까지 한다. 가족도 뒷전이 되고 세상에 홀로 선 느낌마저 들던 것이 나의 갱년기 증상이었다. 비록 약을 먹으며 증상들을 이겨내고 있지만 앞으로 오래도록 살아갈 날을 기분 좋게 적극적으로 살기를 원한다. 나이들수록 나를 더 아끼고 나 자신을 소중히 여겨야 겠다는 마음이 저절로 생겼다. 남편이나 자식에게 의지하지 않고 내 몸은 스스로 지켜 관리를 잘 해 나가는 것이 중요하다. '피할 수 없다면 즐겨라.' 라는 말처럼 앞으로 펼쳐질 나의 미래도 잘 헤쳐 나갈 수 있으리라 믿는다. 갱년기 증상이 언제 어떻게 발현될지 알 수 없지만 즐기면서 살겠다. 달콤하면서 쌉쌀한 하이볼 처럼 나의 중년도 쓴맛 단맛 느끼며 웃음 가득한 날들이길 소망한다. 그깟 갱년기 따위 떨칠 수 있게 단단한

마음으로 변화 시키겠다. 나의 빛나는 중년은 이제부터 시작이다.

괜찮아, 이 한 마디가

안채언

괜찮아, 이 한 마디가

안채언　따듯한 마음을 지니고 살아가는 이들을 응원하며

밤하늘처럼 반짝이는 아름다움을 사랑하며

현실 속에서 치열하게 살아가고 있는 평범하지만 특별한 존재인 한 사

람

미안해

날 모르는 사람과 아는 사람

그저 아는 사람과 친한 사람

어쩌면 친하다고 생각하게 되는 사람

가깝다고 생각하게 되는 사람

각각의 사람들의 미안해의 의미..

미안하다는 말은 같아도 그 의미와 무게가 다르다는 것을

한 치 앞도 모르는 삶 속에 살아가는 나는 생각한다.

그 속에서 크고작은 일들을 겪고, 살아가야하는 모든 이들

어쩌면 가장 듣고 싶지 않은 말.

누군가에게는 가장 필요한 말.

용기가 필요한 것 같다. 어떤 말을 할 때 더군다나 이해관계가 얽힌

정도에 따라 더.

언젠가부터 미안하다는 그 한마디 말이 듣기 싫게 되었다.

정말 미안해서 미안하다고 하는건지 아니면 그 상황을 모면하고자

미안하다는건지

아니면 둘 다인지..

자신의 편의에 따라 이해받고 싶은 나머지 이해해달라는 미안함,

또 정말 몰랐다는 미안함

그 미안함이 가끔 상처가 된다.

나의 마음이 무시받은 채 상대의 마음을 받아들여야 하는 기분이랄까

그럼에도 불구하고 받아들여야 한다. 나를 위해서 상대를 위해서 모두를 위해서

난 말하고 싶다.

어떤 사과에 따라 다르겠지만 자신을 위해서만 하는 사과는 사과가 아니라고

미안함이 있지만 거짓 미안함이다.

진실한 사람이 곁에 있었으면 좋겠다.

역지사지라는 사자성어를 기억해 나의 마음을 이해해주고,

상대의 입장에서 바라봐줄 수 있는 마음을 가진 그런 이타적인 사람이 곁에 있었으면 좋겠다.

그리고 나 또한 그런 사람이 되어주고 싶다.

고마워

누군가의 고맙다는 말은 그 마음에 대한 사랑표현의 답가처럼 들린다.

그대는 아름다움이 무엇이라고 생각하는가

자연의 아름다움, 아이의 햇살처럼 밝은 웃음 등이 있을 수 있겠다.

모든 사람은 아름다움을 가지고 있다. 다만 발견하려고 하지 않을 뿐 찾으면 누구나 숨겨져 있을 수도 훤히 드러나 있을 수도 있다. 내가 생각지도 못한 부분을 봐주고 알아주는 사람이라면 이 세상이 조금이나마 따뜻해지고 있다고 믿고싶다.

더 다가가서 친해지고 싶은 사람들이 있다. 내가 모르는 것들을 알아채주고 발견해주는 사람 그것에 고마움을 건네는 사람, 이런 사람들은 자신의 소중함도 알며 타인의 존재의 감사함을 느낄 수 있는 복된 사람이다.

사소한 것 같아 보이는 순간들도 돌아보면 그 순간의 조각들이 있기에 감사할 수 있게 된다.

좋든 싫든 거름이 되어준다. 조금이라도 성장하고 있다면 말이다.

사랑해

괜찮아

괜찮아, 그 한마디면 충분했다.

어떤 상황 속에서도 이 한마디면 정말 괜찮아지는 것 같았다.

누군가, 특히 내가 사랑하는 사람이, 날 사랑하는 사람이, 괜찮다고 하는 말은 얼마나 더 고맙고 그 마음이 귀할까

흔히들 삶은 속도가 아니라 방향이라고 한다. 내가 힘든 상황 속에서 타인에게 위로와 공감해주기란 쉽지 않다. 그럼에도 따뜻한 마음을 잃어버리지 않은 채 나보다 타인을 더 생각하는 이들이 있다고 한다. 당신은 누군가에게 이런 따뜻한 마음을 준 적 있는가?

아니면 받은 적 있는가?

그런 적 없다고해도 당신은 따뜻한 사람이에요.

그 따뜻함이 발휘되지 못한 것뿐이에요.

그러니까 어둠 속에 갇히지 말고 빛으로 나와요.

지금도 충분해요. 라고 말하고 싶다.

어렸을 때부터 삶의 무게가 무겁다고 느꼈던 나날들이 있었다. 그건 지금도 마찬가지다.

하지만 돌아보니 그 무게를 같이 짊어주려고 했던 이들, 대신 짊어주려고 했던 이들, 짊어주지는 못하더라도 함께 가는 이들이 있었다.

수많은 슬픔과 감사들이 있었지만

슬픔이 짙어질때면 터널이 끝날 때 쯤 빛이 환히 보이는것만큼
이 고난의 시간들도 끝날거라고 생각했다. 그리고 생각한다.

생각을 많이 했던 순간들만 많으면 답이 안 나올 때가 많지만
생각을 많이 하더라도 부정적인 생각이 아니라 긍정적인 생각을 하
게 된다면 오히려 감사한거라고 말하고 싶다.

사람은 누구나 생각이 행동으로 이어지게 되어있다. 난 삶이 위태
로워지는 순간일때마다 이 끝에는 반드시 승리할거라고 믿고 있다.
왜냐하면 그게 사람의 존재이유니깐
사람이 태어난 이유니깐
사람은 사랑받기 위해 태어났다.

하지만 난 사랑받지 못한다고 생각이 드는 순간도 많았다.
그렇지만 사랑해주는 분이 있었고, 지금도 있다.

아주 어렸을 때부터 난 생각했다,
인생이 힘들다고
이 모든 것들로부터 자유해지고 싶다고
그만 아프고 싶다고
행복하고 싶다고
행복한 순간들이 더 많았으면 좋겠다고 말이다.

난 특별한 케이스로 자랐다. 매일 밤늦게까지 일해야 했던 엄마, 아빠. 맞벌이해서 난 어린이집에 친구들은 다 가고, 밤늦게까지 홀로 남아있게된 적이 많았어도, 괜찮았다.

한창 뛰어다니는 걸 좋아하고, 활동적이어서 늦게까지 놀고 싶었던 초등학교시절이었지만 학교가 끝나면 피아노 학원에서 피아노를 빡세게 배우며, 공부하며 보내야했던 적도 괜찮았다.

영어가 유독 어렵다고 느꼈지만 방과후 수업으로 원어민 선생님께 영어를 배워야했던 순간도 괜찮았다.

친했던 친구들이랑 오래함께하고 싶었지만 멀어져야만 했던 환경과 수많은 이유들이 있었어도 괜찮았다.

좋아하는게 많았지만 아무것도 할 수 없고, 선택권이 없다고 느꼈을 때도 괜찮았다.

드디어 꿈을 발견하고 꿈꾸고 간절히 품어왔던 모든 날들이 있었지만 다른 꿈을 찾아야만 하는 상황이 왔을 때도 괜찮았다.

가정이 힘들고, 학업이 힘들고, 인간관계가 힘들고, 힘듦이 한꺼번에 몰려올 때도 괜찮았다.

그치만 빛이 없는 길을 가야만 하는거는 괜찮지 않다.

어둠속을 하염없이 걸어야하는 거는 괜찮지 않다.

아픔을 아프다고 하지도 못하고, 슬픔을 슬프다고 말하지도 못한 채 애써 버티는 모든 것, 그게 지속되면 마음은 곪는다. 누구에게 말하지 못하더라도 적어도 자기자신에게만큼은 솔직해야한다. 나 많이 아프구나. 나 많이 힘들구나, 힘들었구나라고.

누구도 알아주지 않지만 나 여기까지 잘 버티며 살아왔구나라고.

괜찮다고. 더 나아질지 모르겠지만 그럼에도 불구하고 괜찮다고.

현실을 직시하고 무너져도 괜찮다.

하지만 현실을 직시하기까지만 하고 피하면 언젠가 같은 상황이거나, 비슷한 상황이 오게될 때 과거의 현실이 무섭게도 달려드니깐. 지금 아프더라도 괜찮지 않은것같더라도 쉬어갔으면 좋겠다.

내 마음을 이해주면 좋겠다. 하지만 나조차도 나를 이해하지 못할 때가 많고, 품어지지 않을 때가 많고, 아픔이 한 없이 끝나지 않을 것 같은 막연함이 누구나 조금씩은 있을 것이다.

그건 우리가 신이 아닌 사람이기 때문이다. 사람은 누구나 한계가 있기에 그 한계를 인정할 때 비로소 성장하고, 치유되고, 내딛을 수 있게 된다.

지금도 누군가는 외치고 있을지 모른다. 괜찮지 않다고. 나 아직 아프다고, 나 많이 힘들다고

어쩌면 우리 모두가 그러고 있지 않을까 생각하게 된다.

사람들은 자신의 아픔을 어디까지 마주하고 있을까

여전한 아픔 속에 있다면
새로운 고난의 길이 찾아왔다면
이렇게 말해주고 싶다.
빛을 잃지말라고
..

괜찮냐고 묻고 싶고, 괜찮다고, 괜찮아질거라고 말해주고 싶다.

괜찮지 않다면 한계를 인정하고 나 자신에게 이렇게 말해보라고
이 어둠은 언젠간 곧 끝날거라고
곧 빛이 밝게 비춰질거라고
빛이 비춰진만큼 모든 것이 괜찮아질거라고.

인생길 차갑더라도 따듯함이 찾아올거라고 말이다.

그치만 나이와 상관없이 인생의 슬럼프라고 말할 수 있는 시기는
찾아오는 것 같다.
나 또한 그랬고, 그렇다.
잘하고 싶었는데 잘하지 못한 순간들이 너무 많았다.
그래서 나만 시간이 멈춰버린것처럼 힘겨웠던 나날들이 너무 많

았다.

슬펐고, 힘들었고, 괜찮지 않았다. 포기하지 않았는데 포기하는게 더 편해보였다.

다 내려놓고 싶었다. 다 그만두고 홀로 어디론가 떠나버리고 싶었다. 나를 모르는 곳에서 조용히 지내고 싶었다. 어둠이 너무 나를 덮치는 것만 같았다.

이 힘듦을 털어놓고 싶었지만 나의 간절함이 그 어디에도 닿지 않을 것만 같아서 털어놓지 못했다. 설령 닿는다하더라도 나약한 인간은 해결할 수 없는 부분들이 있다는 생각이 너무 컸다. 저마다의 짐이 있는데 나까지 얹고 싶지 않았다.

그래서 더욱이 난 힘겨운 순간마다 기도했다. 인간이 할 수 없는 부분은 신은 할 수 있기에

신이 세상을 창조했고, 나를 만들었다면 누구보다 나를 잘 알지 않겠는가

진짜 살아있다면 이 기도를 듣고 내 삶이 달라질 수 밖에 없지 않겠는가

가정사가 아프면 어떠한가 나 또한 그랬는걸.

다들 말 못할 사정 하나씩은 가지고 있지 않은가

울었던 경험 한 번 씩은 있지 아니한가

공부 잘하고 싶었던 마음 한 번 씩은 가지지 아니했나

모든 걸 잘하고 싶다는 마음을 가지게 된 경험 있지는 않은가

좋아하는 일이 잘하는 일이 되면 좋겠다는 마음을 간절히 품게 된 적이 많지 않았나

부모님의 마음을 알아간 적도 있지 아니한가

그렇다.. 미숙하지만 불완전하지만 이런 경험들,

아픈 순간들이 있기게 치유되는 순간이 있지 아니한가

멈춰버린 시간이 있기에 다시 움직이는 시간도 있을 수 있지 아니한가

울을 수 있기에 웃을 수도 있지 아니한가

어둠이 있기에 빛도 있지 아니한가

당신의 때는 어떤 때입니까?

어떤 때인지는 모르겠지만 그것만이 영원하진 않을 거라고 말하고 싶다.

부디 다들 행복한 때를 걷고 있기를 바란다.

사람들은 행복하면 이 행복이 끝나지 않길 바란다. 나 또한 그렇다. 그렇지만 이 세상에는 영원한 것은 없다는 것을 모두 알 것이다. 변하지 않는 것이 있다면 그건 보이지 않는 것들이다.

누군가의 사랑은 언젠가 변할 수 있다. 부모 자식 간의 사랑도, 친구간의 사랑도, 연인간의 사랑도, 선후배, 사수 간의 사랑도 말이다.

하지만 마음이 변한거지, 사랑이 변한 것은 아니다.

사랑 자체는 고유한 특성을 지니고 있기에 변하지 않는다.

영원한 것이 있다면 바로 사랑이다.

누군가는 사랑이 변한다고 말한다. 그건 사랑이 감정에 있다고만 생각하기 때문이다.

사랑은 감정에만 있지 않다. 감정이 없지는 않지만 감정만 있는 것은 아니다.

어떤 것을 사랑함에 있어 사랑은 감정 플러스 의지다.

인생은 선택의 연속이다. 사랑도 마찬가지다. 감정이 있어야 선택하지만 그 선택이 유지되기 위해서는 의지가 필요하다. 각자가 처한 상황 속에서의 의지 말이다. 또한 이런 의지가 지속되려면 매순간의 선택에서 빛을 선택해야 한다. 모든 상황 가운데에서 한 번 더 사랑할 수 있는 용기, 마주할 수 있는 용기, 말할 수 있는 용기, 품어줄 수 있는 마음, 처음처럼은 모르겠더라도 익숙해졌더라도 너무 편해졌더라도 소중하게 대할 수 있는 귀한 마음 그게 필요하다. 그러면 영원할 수 있다.

그러나 아쉽게도 인간은 이런 영원함을 누리기 힘들다. 왜냐하면 신이 아니기 때문에

그래서 신은 말한다. 나를 의지하라고 나의 사랑을 의지해서 너 자신을 사랑하고 타인을 사랑하라고 말이다.

터무니 없이 들릴 수도 있겠지만 무한한 사랑의 공급 받은 자가 아니면 사랑을 유지하기는 쉽지 않다. 사랑 받아보지 않은 자가 어떻게 사랑할 수 있겠는가.

그래서 인간이 줄 수 없는 것은 신께 구했다.
사랑할 수 있는 마음을 달라고
그 안에는 모든 것이 포함되어있기에

앞으로 나아갈 용기가 포함되어있고, 나 자신을 똑바로 보게 만드는 힘이 있고, 다른 사람을 이해할 수 있는 마음과 품어줄 수 있는 모든 아름다운 본질이 담겨있다.

그래서 사랑은 중요하다.

인생의 무한한 선택 가운데, 고민 가운데 해결점이 되어준다.

사랑하지 않으면 아무것도 할 수 없게 된다.

문제를 바라볼 수도, 해결할 수도, 나아갈 수도, 좋아할 수도, 살아갈 수도 없게된다.

그렇기에 사랑은 누구에게나 필요하다.

당신이 웃을 수 있으면 좋겠다.

당신이 행복하면 좋겠다.

당신의 삶이 따수해졌으면 좋겠다.

사랑 가득하면 좋겠다.

.

.

.

그렇지만 사람은 언제든 떠날 수 있는 존재이다.

처음에는 좋았으나 나중에는 자신과 맞지 않아 떠날 수 있는 것이 사람이자 마음이다.

살아가며 생각과 가치관 형성은 계속 이어진다.

또한 나이를 먹으면 자연스럽게 죽음에 때가 다가오고,
사고로 갑작스럽게 갈수도 있는 죽음의 경계에 서 있다.

그래서 영원했으면 좋겠는 사랑도 언제간은 막을 내리는 장면을 볼
수 있다.

하지만
괜찮아지는 것도
괜찮아 질 수 있는 것도
결국 사랑이기에

성경은 이렇게 말한다.

사랑하는 자들아 우리가 서로 사랑하자 사랑은 하나님께 속한 것이
니 사랑하는 자마다 하나님으로부터 나서 하나님을 알고
사랑하지 아니하는 자는 하나님을 알지 못하나니 이는 하나님은 사
랑이심이라

하나님의 형상대로 지음 받은, 부른 받은 존재
바로 당신
사랑하며 살아가면 좋겠다.

사랑받으며 살아가면 좋겠다.

그대 인생길, 사랑이 함께하길 진심으로 소망한다.
그대 아픔, 성장판이 되길 바란다
그대 꿈, 이루어지길 바란다.

인생의 새벽에 기적이 찾아올 때

발행 2024년 1월 10일

지은이 데이스타, 남바다, 한송이, 스리3, 경아, 김아림, 지우, 이지영, 안채언

라이팅리더 현해원

디자인 윤소현

펴낸이 정원우

펴낸곳 글ego

출판등록 2019.06.21 (제2019-67호)

주소 서울시 강남구 강남대로 118길 24 3층

이메일 writing4ego@gmail.com

홈페이지 http://egowriting.com

인스타그램 @egowriting

ISBN 979-11-6666-435-9